P9-EDF-908

DU MÊME AUTEUR

*Aux Éditions Rivages*

TU, MIO
PREMIÈRE HEURE
EN HAUT À GAUCHE
ALZAIA
ACIDE, ARC-EN-CIEL
REZ-DE-CHAUSSÉE
LES COUPS DES SENS
UN NUAGE COMME TAPIS

*Aux Éditions Verdier*

UNE FOIS, UN JOUR

*Aux Éditions Gallimard*

TROIS CHEVAUX

*Du monde entier*

ERRI DE LUCA

# MONTEDIDIO

roman

*Traduit de l'italien*
*par Danièle Valin*

GALLIMARD

*Titre original :*

MONTEDIDIO


*Publication originale par Giangiacomo Fettrinelli Editore, Milan.*

Je dois à Elena Broseghini la plus fervente attention à cet écrit.

Je dois à Monica Zunica les détails sur les mélanges de sang et de miracle de Naples, ville des sangs.

«'A iurnata è 'nu muorzo », la journée est une bouchée, c'est la voix de mast'Errico devant sa boutique. Moi, j'étais déjà là depuis un quart d'heure pour bien commencer ma journée de travail. Lui, il arrive à sept heures, relève le rideau métallique et dit sa phrase d'encouragement : la journée est une bouchée, elle est courte, il faut se remuer. À vos ordres, lui dis-je, et ça s'est passé comme ça. Aujourd'hui, j'écris ces premières notes pour tenir compte des nouvelles journées. Je ne vais plus à l'école. Je viens d'avoir treize ans et mon père m'a mis à travailler. C'est juste, c'est le moment. L'instruction obligatoire va jusqu'à la neuvième, lui m'a fait étudier jusqu'à la septième parce que j'étais fragile et puis, comme ça, j'avais un meilleur niveau d'étude. Par ici, les enfants vont au boulot même sans être allés à l'école, mon père n'a pas voulu. Il est docker, il n'a pas fait d'études, aujourd'hui seulement il apprend à lire et à écrire aux cours du soir de la coopérative des dockers. Il parle le dialecte, il est intimidé par l'italien et par la science de ceux qui ont fait des études. Il dit qu'on se défend mieux avec l'italien. Moi, je le connais parce que je lis les livres de la bibliothèque, mais je ne le parle pas. J'écris en italien parce qu'il est muet et que je peux y mettre les choses de la journée, reposées du vacarme du napolitain.

Enfin je travaille, même si c'est pour pas cher, mais le samedi j'apporte une paie à la maison. C'est le début de l'été, le matin à six heures il fait frais, nous déjeunons tous les deux et puis j'enfile moi aussi ma veste de travail, je sors avec lui, je l'accompagne un bout de chemin et je retourne sur mes pas, la boutique de mast'Errico se trouve dans la ruelle au bas de notre immeuble. Pour mon anniversaire, papa m'a offert un morceau de bois recourbé, ça s'appelle « boumeran ». Je le tiens dans ma main, sans rien demander, je sens un chatouillis, une petite décharge électrique. Papa explique qu'on le lance loin et qu'il revient en arrière. Maman n'est pas contente : « Ma addò l'adda ausa'? » mais où vais-je m'en servir ? Elle a raison, dans ce quartier de ruelles qui s'appelle Montedidio, si tu veux cracher par terre, tu ne trouves pas de place entre tes pieds. Ici, il n'y a pas de place pour étendre le linge. D'accord, je ne peux pas le lancer, mais je peux m'exercer à faire le mouvement. Il est lourd, on dirait qu'il est en fer. Maman m'offre une paire de pantalons longs, elle les a pris au marché de

Resina, du bon tissu, américain. Ils sont raides, foncés, je les mets et je fais le geste de les arranger autour des genoux. « Mò si' ommo, puort' e sorde a casa », oui, j'apporte ma paie le samedi, mais de là à être un homme, ommo, il y a de la marge. Entre-temps ma voix s'en est allée et je parle rauque.

Mon père a eu le boumeran par un de ses amis qui est marin. C'est pas un joujou, un jeu, c'est l'outil d'un peuple ancien. Pendant qu'il explique, je me familiarise avec la surface, je passe la main dessus, je la caresse dans le bon sens. Chez mast'Errico, j'apprends les lignes du bois, elles ont un fil et un contre-fil. Je lisse le boumeran dans le sens de sa fuite et il tremble un peu dans ma main. C'est pas un jouet, mais pas un outil de travail non plus, c'est entre les deux, c'est une arme. Je veux l'apprendre, je veux m'entraîner à faire un lancer, cette nuit quand papa et maman seront en plein sommeil, « suonno ». J'ai vu qu'en italien il existe deux mots, sommeil et songe, là où le napolitain n'en a qu'un seul, « suonno ». Pour nous, c'est la même chose.

J'ai balayé la réserve à bois et j'ai eu droit à l'attaque des puces. Elles m'ont sauté sur les jambes, au travail je porte des pantalons courts, elles étaient devenues noires. Mast'Errico m'a lavé, tout nu, avec la pompe devant la boutique. On a bien rigolé. Ça va, parce que c'est l'été. Nous avons mis de la poudre empoisonnée, dans la réserve il y avait même des rats, «'o súrece, 'o súrece », a crié le patron, il en a peur, moi non. Puis j'ai eu ma paie, il a compté mon argent et me l'a donné. Le soir, je commence à m'entraîner avec le boumeran. J'ai appris qu'il ne vient pas d'Amérique, mais d'Australie. Les Américains ont plein de choses nouvelles, les Napolitains sont toujours là quand ils débarquent pour voir les nouveautés. Un cerceau en plastique vient d'arriver, ça s'appelle un « oulaop », j'ai vu Maria le faire tourner autour de sa taille sans qu'il tombe par terre. Elle m'a dit : « Essaie », je lui ai répondu non, que pour moi c'est pas un truc de mecs. Maria a eu treize ans avant moi, elle habite au dernier étage, c'est la première fois qu'elle me parle.

Je serre le boumeran, je sens la secousse. J'ai commencé à faire le mouvement du lancer. Je le charge derrière mon épaule, je le pousse en avant pour le laisser aller, mais je ne l'envoie pas. Mon épaule est rapide, comme Maria avec ses hanches. Je ne peux pas faire voler le boumeran, nous sommes trop à l'étroit au sommet de Montedidio. Ma main retient le bois à son dernier centimètre et le ramène en arrière. Je fais comme ça, d'avant en arrière, mon dos se dénoue, je transpire, je tiens ma prise serrée, il suffit d'un tour de poignet pour qu'il me glisse des doigts. Au bout d'un moment, je vois que ma main droite est plus grosse que la gauche, je change de main. Une partie de mon corps rattrape l'autre, l'égale en rapidité, force et fatigue. Mes derniers lancers bloqués prennent un élan de plus en plus fort, mon poignet souffre de plus en plus de retenir, alors j'arrête.

Je ne voulais pas y rester à l'école, trop vite grandi pour les bancs de la neuvième. À l'heure du goûter, certains enfants sortaient leurs gâteaux des cartables, et à nous, inscrits à la pauvreté, le surveillant donnait du pain avec de la confiture de coings. Quand il se mettait à faire chaud, les enfants pauvres allaient à l'école les cheveux rasés, comme des melons, à cause des poux, les autres enfants restaient bien coiffés. Trop de différences de toutes sortes, et puis eux, ils continuaient à étudier, nous non. Moi, je redoublais mes classes à cause des fièvres, puis elles sont passées et je ne voulais plus aller à l'école, je voulais aider, travailler. Les études que j'ai faites me suffisent, je sais l'italien, une langue paisible, qui reste sagement dans les livres.

Depuis que je travaille et que je m'entraîne avec le boumeran, j'ai bien plus d'appétit. Papa est content de prendre son petit déjeuner avec moi, à six heures la première lumière glisse sur la rue et se faufile jusque dans les étages les plus bas, nous n'allumons pas la lampe. L'été, la lumière avance toute fraîche à ras de terre et s'élève ensuite pour allumer un four au-dessus de la ville. Je trempe mon pain dans ma tasse de lait noircie avec de l'ersatz de café. Chaque matin il s'est levé tout seul et maintenant il aime bien que je sois là moi aussi, pour dire un mot, sortir ensemble. Maman se lève tard, elle est souvent faible. À l'heure du repas, je monte aux lavoirs pour étendre le linge, puis je le reprends le soir. Je n'étais encore jamais allé là-haut, sur la terrasse, au sommet de Montedidio, où souffle un peu de vent le soir. Personne ne me voit et je m'entraîne là, le boumeran frémit à l'air libre, le manche se tord quand je le serre pour ne pas le laisser échapper. C'est du bois qui a poussé pour voler. Mast'Errico est un bon menuisier, il dit que le bois est bon pour le feu, pour l'eau et pour le vin. Moi je sais qu'il est fait aussi pour voler, mais je ne le dis pas si lui ne le dit pas. J'ai pensé que je veux lancer des boumerans depuis les lavoirs, la terrasse la plus haute de Montedidio.

Les bras fatigués, en sueur, je m'allonge un moment sur la terrasse où sont tendues les cordes à linge. Au-dessus de moi, il n'y a même plus un bout de ville, je ferme mon bon œil, je regarde en l'air avec l'autre à demi ouvert, le miro. Le ciel devient aussitôt plus sombre, dense, plus proche, contre moi. Mon œil droit est faible, pourtant il voit mieux le ciel que le bon, qui me sert pour la rue, pour regarder en face, pour travailler à la boutique. Mon œil gauche est droit, rapide, il comprend au vol, il est napolitain. Le droit est lent, il ne met rien au point. À la place des nuages, il voit les flocons épars du matelassier quand, dans la rue, sur un drap tendu, il peigne et retourne la laine pour en faire des flocons.

Je reviens des lavoirs, je porte le linge dans un panier, dans l'obscurité de l'escalier quelqu'un guette mon passage. Je les sens même dans le noir les yeux des autres, car lorsqu'ils regardent, ils touchent, ils font un léger courant d'air qui passe sous une porte. J'ai dans l'idée que c'est Maria. L'immeuble est vieux, les esprits passent le soir dans les escaliers. Sans leur corps, ils ont seulement la nostalgie des mains et ils se jettent sur les gens avec l'envie de les toucher. Ils y mettent tant d'élan que leur effleurement me parvient. Maintenant que c'est l'été, ils me frôlent la gueule, ils essuient ma sueur. Les esprits se trouvent bien dans les vieux immeubles. Mais si quelqu'un dit qu'il les a vus, c'est un mensonge, les esprits, on peut seulement les toucher, quand ils le veulent eux.

Mast'Errico héberge dans sa boutique un cordonnier qui s'appelle don Rafaniello, moi je nettoie aussi sa place, autour de sa caisse et du tas de souliers qu'il répare. Il est venu à Naples de quelque sommet d'Europe après la guerre. Il est monté tout droit en haut de Montedidio chez mast'Errico et il s'est mis à arranger les chaussures des pauvres. Il les remet à neuf. On l'appelle Rafaniello parce qu'il a les cheveux roux, les yeux verts, qu'il est petit avec une bosse qui pointe dans son dos. À Naples, en le voyant, on lui a collé le nom de « ravanello », radis rouge. C'est ainsi qu'il est devenu don Rafaniello. Il ne sait même pas lui-même depuis combien d'années il est au monde.

Les enfants ne comprennent pas l'âge, pour eux quarante ou quatre-vingts ans sont un même désastre. Une fois, dans l'escalier, j'ai entendu Maria demander à sa grand-mère si elle était vieille. Elle lui a répondu non, Maria a demandé si son grand-père était vieux et la grand-mère a répondu non. Alors Maria a demandé : « Mais alors, des vieux, y en a pas ? » et elle s'est pris une gifle. Moi, je les comprends les années des gens, mais celles de Rafaniello non. Son visage fait cent ans, ses mains font quarante, ses cheveux vingt, tout roux comme des broussailles. Ses mots, je ne sais pas, il parle peu, d'une voix très fine. Il chante dans une langue étrangère, quand je balaie son coin il me fait un sourire, ses rides et ses taches de rousseur remuent, on dirait la mer quand il pleut dessus.

Il est vraiment sympa, Rafaniello, il répare les souliers des pauvres et ne se fait pas payer. Si quelqu'un veut une paire neuve, il prend ses mesures avec un bout de ficelle, il fait des nœuds à sa façon et se met à l'ouvrage. L'autre revient pour les essayer et il trouve des chaussures qui lui vont, mieux que des gants. Rafaniello aime les pieds des gens. Il ne fait pas de mal à une mouche et aucune mouche ne l'ennuie. Elles volent autour de lui sans se poser, même quand il y en a beaucoup. Mast'Errico, au contraire, remue son cou comme un cheval de fiacre pour les chasser de sa figure quand il a les mains occupées. Il s'ébroue aussi comme un cheval. J'agite mon chiffon autour de lui et elles le laissent tranquille une seconde.

Moi, je porte des sandales même en hiver, mon pied grandit et peut bien dépasser sans qu'on ait besoin d'en acheter une paire neuve. Elles me sont petites, Rafaniello les a prises pendant que je balayais pieds nus, pour ne pas les user. Il l'a fait sans que je le voie. Quand je les enfile à midi, elles sont à ma taille et si confortables que j'ai eu peur de m'être trompé de sandales. Je l'ai regardé et il m'a fait oui, de la tête. Je lui dis merci don Rafaniè, il répond : « Pas de don », mais vous êtes un bon chrétien, vous faites la charité aux pieds des pauvres, vous méritez le don. « Non, non, le don c'est bon pour les autres et puis je ne suis même pas chrétien. Dans mon pays, le nom que je portais était un peu comme celui de Rafaniello. » Je me suis tu, je n'avais pas encore échangé dix mots avec lui. Le cuir des sandales était parfumé, ressuscité entre ses mains. À la maison, maman m'a félicité de me faire aimer des gens. Avec Rafaniello ça ne compte pas, il aime tout le monde.

J'entends des cris et des voix napolitaines, je parle napolitain, mais j'écris en italien. « Nous vivons en Italie, dit papa, mais nous ne sommes pas italiens. Pour parler la langue nous devons l'étudier, c'est comme à l'étranger, comme en Amérique, mais sans s'en aller. Beaucoup d'entre nous ne le parleront jamais l'italien et ils mourront en napolitain. C'est une langue difficile, dit-il, mais tu l'apprendras et tu seras italien. Ta maman et moi non, noi nun pu, nun puo, nuie nun putimmo. » Il veut dire « nous ne pouvons pas », mais le verbe ne lui vient pas. Je le lui dis, « nous ne pouvons pas », bravo, dit-il, bravo, toi tu connais la langue nationale. Oui, je la connais, je l'écris même en cachette et je me sens un peu traître au napolitain, alors je me récite mentalement son verbe pouvoir : i' pozzo, tu puozze, isso po', nuie putimmo, vuie putite, lloro ponno. Maman n'est pas d'accord avec papa, elle dit : « Nous sommes napolitains, un point c'est tout. » Mmon Italie, dit-elle avec deux m, mmon Italie est en Amérique, là où vit la moitié de ma famille. La patrie, c'est celle qui te donne à manger, dit-elle en conclusion. Papa lui répond pour blaguer : « Alors ma patrie à moi c'est toi. » Il ne veut pas donner tort à maman, chez nous on n'élève pas la voix, on ne se dispute pas. S'il est contrarié, il met la main sur sa bouche et cache la moitié de son visage.

Mast'Errico m'a mis à passer du bouche-pores et du papier de verre. Je caresse les portes d'une armoire à vêtements. Mais combien de vêtements possède cette famille ? Nous sommes en train de faire huit portes, deux étagères, c'est une « quatre saisons ». Aujourd'hui, j'ai testé la fermeture de la première porte et elle s'est si bien ajustée qu'elle a eu un bruit de souffle, l'air s'est échappé de l'intérieur. Du coup, j'ai mis mon visage tout près du battant, j'ai senti une caresse d'air. Les esprits frôlent mon visage comme ça. Puis mast'Errico l'a démontée et l'a recouverte, c'est un travail important, qui arrange bien toute une année. Les tiroirs sont en hêtre, les entailles à queue d'aronde, un plaisir de les voir sortir de ses mains. Il vérifie les angles droits de nombreuses fois, graisse les glissières, tire et pousse les tiroirs sans bruit, comme la ligne en mer, dit-il, qui monte et qui descend, muette, dans sa main. Mast'Errì, dis-je, vous êtes un phénomène, un ébéniste pêcheur.

Mast'Errico achète *Il Mattino* tous les jours. C'est une dépense, il en a pour trente lires, il dit qu'un homme doit savoir ce qui se passe dans le monde. Il nous lit les nouvelles à haute voix : l'épée est tombée de la main de la statue de Roger le Normand devant le Palazzo Reale. À Gênes, grosses bagarres entre la police et les ouvriers. La voix de mast'Errico est forte, les faits qu'il lit me restent gravés. Le dimanche, il va à la pêche, à la rame devant le port avec une ligne. Il reste tranquillement au milieu du trafic des navires jusqu'au soir. Il attend jusqu'à ce qu'un sargue se laisse prendre. Un sargue, devant la digue du port, difficile à croire, sous le feuilletage noir de l'eau. Il y en a, dit-il, qui sont malins comme les gosses des rues, et c'est tout un art de les voler à la mer. Il faut une moule comme appât, m'explique-t-il un jour.

Le sargue ne monte jamais sur notre table, nous sommes des mangeurs d'anchois. Le sargue, ça coûte cher, mais lui, il en rapporte tous les dimanches chez lui et le fait cuire dans du bouillon. « Ciel et mer le permettant », dit-il. Il vit seul, à soixante ans il ne porte pas de lunettes, il s'abîme les yeux, il doit prendre plusieurs fois la mesure des coupes, faire plus attention. L'apprenti qu'il employait avant était bien, mais il a grandi avec les voyous et maintenant il est en tôle. Alors moi je suis arrivé, je lui prête mes yeux, je lui marque les millimètres. Ensuite il calcule combien vole la coupe et il corrige la mesure.

Je passe mes journées à nettoyer les outils, les machines, j'enlève les copeaux, la sciure. Je deviens assez robuste avec l'exercice du boumeran. Mes épaules poussent contre ma chemise, un éventail de muscles tire l'étoffe dans mon dos et une ligne de cals passe au centre de mes mains, là où je serre le manche du bois. Le soir, aux lavoirs, je force le lancer, je fais le mouvement jusqu'au bout et puis je le retiens au dernier moment, à la fin de la course de l'épaule et du bras. La poussée se renforce, le boumeran frémit d'envie. Je transpire dans ma paume, une odeur de bois amer, plus amer que le châtaignier. Personne ne me voit, seuls les esprits me soufflent au visage de sèches caresses. La rue fait aussi du vacarme le soir, mais moi je suis plus haut que tout le monde, sur la terrasse du linge et le bruit le plus fort est le coude du boumeran qui fend l'air au passage derrière mes oreilles.

Rafaniello est fatigué, il a un sommeil agité, sa bosse le brûle. Pourtant il est content, c'est bon signe, dit-il. Il se confie à moi quand mast'Errico sort pour acheter du bois. Il m'a raconté son histoire. Il est venu à Naples par erreur, il voulait aller à Jérusalem après la guerre. Il est descendu du train et il a vu la mer pour la première fois. La sirène d'un navire a sifflé et il s'est souvenu d'une fête de son village qui commence par un son identique. Il a regardé les pieds, combien sans souliers, beaucoup d'enfants comme dans son pays, secs, vifs, il les voit comme les siens. Lui vient d'un pays plein de malheurs qui a perdu tous ses enfants, la foule de Naples les lui rappelle. Dans son village, les gens sont devenus si peu nombreux qu'ils ne se saluent plus, à Naples, au contraire, on peut passer sa journée rien qu'à saluer et puis aller se coucher fatigué seulement pour ça.

Rafaniello se promenait dans notre ville étrangère et pourtant presque identique à la sienne d'avant la guerre, identique dans les visages, les cris, les insultes, les mauvais sorts et il trouvait bizarre de ne pas comprendre un seul mot. Il touchait ses oreilles pour voir s'il y avait un problème, et il rit en me le racontant. Il s'est résigné, la ville était étrangère. Ce doit être à cause de la mer qui la retient, la ville, et qui ne la laisse pas partir, donc lui aussi doit s'arrêter, il ne peut continuer à pied vers Jérusalem. Les navires vont en Amérique, pas en Terre sainte. Alors il reste, il dit : je reste un peu. C'est la fin de l'année quarante-cinq, on a besoin de souliers, les gens veulent se marier, Naples est pleine de noces, Rafaniello s'arrête et attend. Dans la boutique, je suis sous le charme de ses histoires, je dois me pincer fort pour me remettre au travail.

Chacun de nous vit avec un ange, c'est ce qu'il dit, et les anges ne voyagent pas, si tu pars, tu le perds, tu dois en rencontrer un autre. Celui qu'il trouve à Naples est un ange lent, il ne vole pas, il va à pied : « Tu ne peux pas t'en aller à Jérusalem », lui dit-il aussitôt. Et que dois-je attendre, demande Rafaniello. « Cher Rav Daniel, lui répond l'ange qui connaît son vrai nom, tu iras à Jérusalem avec tes ailes. Moi je vais à pied même si je suis un ange et toi tu iras jusqu'au mur occidental de la ville sainte avec une paire d'ailes fortes, comme celles du vautour. » Et qui me les donnera, insiste Rafaniello. « Tu les as déjà, lui dit celui-ci, elles sont dans l'étui de ta bosse. » Rafaniello est triste de ne pas partir, heureux de sa bosse jusqu'ici un sac d'os et de pommes de terre sur le dos, impossible à décharger : ce sont des ailes, ce sont des ailes, me raconte-t-il en baissant de plus en plus la voix et les taches de rousseur remuent autour de ses yeux verts fixés en haut sur la grande fenêtre.

L'ange le lui a répété, parce qu'il faut dire les choses deux fois aux hommes : « Oui, tu voleras avec tes ailes jusqu'à Jérusalem et tu feras des souliers avec Rav Iohanàn hassàndler » qui serait chez nous don Giuvanne le cordonnier. Comment était l'ange de son pays, lui ai-je demandé. Quelqu'un qui savait faire de la vodka avec de la neige, m'a-t-il répondu. Je la connais la neige, elle est tombée en cinquante-six et elle a nettoyé la ville, Naples n'a jamais été aussi blanche. « La neige ne nettoie pas, elle recouvre, laisse tout pareil, mais elle ne balaie rien », m'enseigne Rafaniello et je me tais.

J'écoute ses histoires et je voudrais lui dire que moi aussi je sais voler, mais seulement au-dessus de Naples. Je voudrais lui dire comment on fait, comme on doit placer son corps, que ce sont les yeux qui guident, quand tu regardes en haut tu te soulèves, en bas tu descends. Je voudrais lui dire ce que j'ai appris dans mon sommeil, mais je me tais, moi je sais seulement flotter en l'air, le sérieux des ailes lui appartient. Puis mast'Errico revient, je décharge les planches qui sont brutes mais les échardes ne me font rien, désormais j'ai du cuir sur la peau. Les histoires de Rafaniello me rendent joyeux, mettent de l'air dans mes os, une joie d'oiseau voilier. Le soir, aux lavoirs, mon bras veut partir derrière le boumeran. Je ralentis la poussée et le frein durcit mon nouveau muscle, lui donne la forme d'une fronde.

Mast'Errico dit que les pêcheurs ne savent pas nager, que c'est bon pour les estivants qui vont au milieu des vagues pour s'amuser et qui se mettent exprès au soleil. Le soleil est agréable pour celui qui le prend allongé, immobile. Pour celui qui le porte sur le dos de sa première lueur jusqu'au soir, le soleil est un sac de charbon. Comme la bosse de Rafaniello. Je le pense sans le dire, je suis un apprenti et je ne peux pas donner mon avis au patron. Et puis si je me tais, lui continue à raconter et la journée passe plus vite. Les pêcheurs vont en mer sur leur bateau à moteur ou à rames et ne se mouillent même pas le visage. Sur la tête, ils s'enfoncent un béret que même le vent ne peut arracher. Sur les vieux marins, tu sens le tabac, la sueur, mais pas le sel. Le dimanche, ils sortent bien habillés avec leur chemise blanche. On prend peu de poisson dans le golfe, pour rapporter quelque chose à terre il faut rester en mer toute la journée. Tout ce qu'on me dit sur la mer m'intéresse, je ne la connais pas, je la vois mais je ne la pratique pas. Mast'Errico me parle volontiers, l'autre apprenti l'écoutait avec ennui. Lui, il continuerait bien à parler, mais « 'a iurnata è 'nu muorzo » soupire-t-il et il dit pour finir que le sel de mer est amer comme celui de la sueur et qu'aucun des deux n'est bon pour l'eau des pâtes.

Maria surgit de l'obscurité des lavoirs. Ses treize ans ont plus vite poussé que les miens, elle est déjà dans un corps formé. Trois doigts sous la frange de ses cheveux noirs, courts, il y a sa bouche aux mots rapides, je les vois sortir de la glissière de ses grosses lèvres. Son sourire entaille son visage d'une oreille à l'autre. Maria connaît les gestes des femmes. Je suis devant elle et je sens mon ventre vide, une faim de pain, de mordre dans sa tranche de pain beurré. Elle me l'offre, je dis non. Elle a découvert que je m'entraîne avec le boumeran, elle est curieuse. Elle m'entend monter, passer devant sa porte. Elle s'approche, la soirée est chaude et apporte ses odeurs, chocolat, origan, cannelle, j'aspire à fond, c'est un parfum français, dit-elle, en faisant sortir le r de sa gorge.

Il fait noir, je serre le bois du boumeran, je le lui tends. Maria le connaît, elle sait ce qu'il peut faire. « Mais toi tu ne le fais pas voler. Pourquoi ne le lances-tu pas ? » je le perdrai. « Ça ne sert à rien s'il ne vole pas » je ne sais que répondre, moi je monte ici pour tendre le ressort d'un lancer unique. Un soir, mon bras sera fort, je ne pourrai pas l'arrêter et alors le boumeran volera. Je réfléchis, puis je dis : « Toi, tu gardes bien des canaris sur ton balcon et tu ne les laisses pas s'envoler, moi je garde prisonnier un boumeran. » Eux ils chantent, dit Maria. Lui il siffle, dis-je, et je lui fais entendre près de l'oreille le vent que fend le lancer. Elle n'a pas peur, elle rit. Maria ouvre ma main serrée sur le bois, elle touche mes doigts, j'avale ma salive. Il est dans ses mains, le boumeran. Ça alors, qu'est-ce qu'il est lourd, dit-elle, et elle me le rend. Il est lourd ? Comment lourd ? C'est une aile en bois. Elle insiste en disant qu'il est lourd et qu'il brûle même. Elle comprend pourquoi je m'entraîne, elle touche mon épaule : « Depuis que tu travailles, tu es devenu fort. » Je baisse les yeux. Maria attrape mes cheveux sur mon front et les relève : « Regarde-moi en face quand je te parle. » Il fait noir et Maria joue à la dure avec moi. Elle est un peu plus grande, sa poitrine pointe déjà. Je reste un moment immobile, puis je détache ses doigts restés dans mes cheveux. Elle s'éloigne, se retourne et dit : « Demain je reviens à la même heure, je dois te raconter un secret. » Je reste seul, la soirée fraîchit aux lavoirs rincés par les paillettes de savon. Les mères lavent les vêtements et même les blessures de leurs fils quand le sang coule. Je ramasse le linge sur l'étendoir et je descends.

Maman dort beaucoup, du jour au lendemain elle est tombée malade de la jaunisse, elle est jaune comme de l'ail vieux. Je fais gonfler mon pain avec du lait froid, je n'ai pas la permission d'allumer le gaz, papa est allé chercher des médicaments, avant de trouver une pharmacie ouverte à dix heures du soir, il fait le tour de Naples. Je garde le boumeran tout près sur la table de cuisine, il est toujours avec moi, sur moi même, au boulot je le garde sous ma veste. Des choses nouvelles se préparent, Rafaniello, Maria, la force qui me vient aux lavoirs. Le boumeran vient de la mer, il doit voler, en attendant il donne des muscles à un gamin qui pue encore l'encre d'écolier, qui travaille en juin pour un menuisier et qui écrit les faits de sa nouvelle vie avec un crayon sur un rouleau de papier que lui a donné l'imprimeur de Montedidio, un reste de bobine. Le rouleau tourne et je vois déjà écrites les choses passées, qui s'enroulent aussitôt.

Mast'Errico chante. Quand il fait un travail pénible, il entonne une chanson et ne la lâche plus, il l'use jusqu'au bout. Rafaniello aussi chante, mais en silence, dans sa gorge. Il remue à peine les lèvres, il tient une dizaine de petits clous pour les semelles dans un coin de sa bouche. Je l'entends même sous la voix de mast'Errico qui monte avec la journée et cesse à midi, l'heure de manger, et la pièce s'éclaire d'un tranchant de soleil qui la coupe en deux. Et la sciure s'élève dans l'air à la rencontre de la lumière.

Il chante avec grâce Rafaniello, même quand la scie à ruban ou la raboteuse marchent, moi je sais s'il chante ou non. « Quelles chansons connaissez-vous, don Rafaniè ? » Il en savait beaucoup, maintenant il en chante une et seulement celle-là. On m'a appris à ne pas poser trop de questions et je cache ma curiosité. Lui laisse passer un moment de silence, qui pouvait servir à ma seconde question, et puis il répond quand même. Rafaniello répond même à des questions qui n'ont pas été posées. Il dit qu'il chante une seule chanson, quelques couplets. Les paroles sont un vœu pour la construction de n'importe quelle maison où l'on prie. Une église, dis-je. Non, c'est une maison où on lit, on étudie et où l'on dit une prière. Rafaniello fait un sourire pour clore notre conversation. La journée est une bouchée et des tas de souliers à réparer.

Mast'Errico plisse les yeux à cause de la poussière, de peur des éclats de bois, et il a un faisceau de rides tout autour à force de les fermer. Les yeux de Rafaniello sont humides, il se les essuie du dos de la main. Je suis devenu un peu plus libre avec lui : don Rafaniè, on dirait que vous pleurez. « C'est l'air qu'on respire ici, dit-il, c'est la colle, c'est Montedidio qui presse mes yeux. » Et il les essuie. Il dit que tous les yeux ont besoin de larmes pour y voir, sinon ils deviennent comme ceux des poissons qui ne voient rien hors de l'eau et se dessèchent, aveugles. Ce sont les larmes qui permettent de voir, dit-il. Elles viennent sans raison de pleurer. Je fais oui de la tête et je sens deux larmes me picoter le bout du nez pour sortir. Je sens le chatouillis qui fait pleurer, vite je me retourne, je me mouche dans mes doigts que j'agite sur la sciure, je passe le balai, je mets plus de force dans mes gestes pour cacher ma gêne et je leur assène même un peu de napolitain, toujours bon en cas de besoin « che chiagne a ffà », pourquoi pleures-tu, me dis-je, et je crache par terre, mais les deux larmes se détachent quand même, mast'Errico s'en aperçoit, « guagliò ti scorre la parpétola », la soupape de ta paupière fuit mon garçon, il me dit de ne pas rester au fond de la boutique, il m'envoie demander un demi-pot de graisse pour machine à l'imprimerie de don Liborio. Et dans la rue, je vois plus clair sur la peau des fruits, dans les branchies des poissons, dans l'espadon coupé en deux et dans l'assiette en métal du pauvre qui reste debout toute la sainte journée sans s'asseoir parce que les passants sont debout et méprisent ceux qui attendent une aumône assis confortablement par terre. Il a raison Rafaniello, deux larmes suffisent à rendre la vue bonne.

Don Liborio me donne la graisse et une caresse aussi sur mon zizi. Je n'y peux rien, je dois le supporter, d'autant qu'il ne peut rien faire de plus, je suis fort et je m'échappe de ses mains en deux bonds. Lui il est lourd, lent et il touche les zizis des gosses. Il a un gloussement qui est plus celui d'un pigeon que d'un homme. À l'imprimerie il fait tout lui-même, les apprentis ne veulent pas rester. Les gens le savent, mais chacun pour soi et puis don Liborio fait des bonnes œuvres, il a payé sa robe de mariée à une orpheline sans dot. Et on dit bien que personne n'en est jamais mort. « Quanno è pé vizio, nun è peccato », quand c'est du vice, c'est pas un péché, dit la maxime. Mast'Errico m'envoie chez lui parce qu'il sait que don Liborio me donne la graisse. Mais il me dit : « Reviens vite, ne perds pas de temps avec don Liborio. » Et moi, je reviens vite. Don Liborio se passe l'envie de sa caresse et nous sommes quittes. Il m'a même donné le rouleau de papier sur lequel je suis en train d'écrire. Dans la rue, l'effet des larmes a cessé, je vois plus sale. Je garde le boumeran sur ma poitrine, qui sait ce qui arriverait à don Liborio si je le mettais dans mon pantalon. Le soir, la maison est calme, maman dort, moi je mange de la mie de pain dans du lait, sans elle on ne fait pas de cuisine, papa mâche du pain, avec de l'huile et de la tomate, je le salue et je monte aux lavoirs faire mon entraînement et ramasser le linge.

Maria monte aussi, nous nous asseyons sous les cordes vides, je transpire et le boumeran est chaud de tout l'air qu'il a traversé. Maria me touche, elle ne dit rien, elle me touche, d'abord en passant sur tout mon corps, puis sur mon pantalon. Moi, je ne sais faire aucun geste, seulement regarder, elle me saisit à un endroit et j'ai du mal à garder les yeux ouverts. J'ai envie de les fermer, de respirer fort, mais je tiens bon et je ne cède pas à l'envie de les fermer, je les garde immobiles pour la payer en retour au moins avec les yeux, puisque je ne sais rien faire. Dans l'obscurité, je regarde son visage sérieux, elle bouge la main à un endroit précis, et je ne comprends pas ce qui se passe là, elle ne me regarde pas, moi je ne quitte pas son visage des yeux, je ne cherche pas où elle me touche, elle est sur une partie qui est à moi, mais ce n'est pas le zizi que touche don Liborio. C'est au même endroit, mais c'est une autre chair sortie de moi au rythme de ses doigts qui me pétrissent. Puis Maria ne regarde plus sa main, elle me regarde moi qui la regarde, et tout doucement un sourire lui vient, et quand je le vois, je sens des coups au fond de mon intestin, une toux dans ma chair, un tir de boumeran qui s'est échappé de ma main et qui me vide.

Je le cherche et il est posé là par terre, tout près. Maria s'arrête, prend un mouchoir, essuie sa main, je ne sais pas pourquoi, à cause de la sueur peut-être comme je le fais après mon entraînement. Mon œil droit miro est tout mouillé lui aussi sous l'effort qu'il fait pour rester ouvert. Puis je baisse les yeux et je vois une chair à moi que je n'avais jamais vue avant, un bout sec et long, un peu de travers, à la place de mon zizi, s'il n'y avait pas Maria très calme, je crierais tant je suis impressionné. Mais elle est là et dépose un baiser sur ma lèvre, sous mon nez. Moi, je suis sage avec elle, je me tais, je ne demande pas ce qui s'est passé. Au-dessus de nous, les cordes à linge zèbrent le ciel du mois d'août. Je suis content qu'au-dessus de nous il n'y ait ni draps ni balcons, nous sommes sur la terrasse la plus haute de Montedidio.

« Je fais ça au propriétaire de la maison », dit-elle. Quoi ça ? Ça m'agace de l'entendre nommer le propriétaire de la maison, la personne la plus emmerdante que je connaisse. Il demande aux locataires : « Quand est-ce que vous me payez ? » et il le demande quand il y a du monde autour pour entendre. « Quand est-ce que vous me payez ? » dit-il tout fort, comme ça il leur fait honte.

« Ce que je t'ai fait, je le fais à lui », dit Maria. Je me tais pour ne pas dire de conneries. « Ce soir je voulais toucher un corps propre, regarder un visage qui me regarde, qui me respecte. Tu es mon fiancé maintenant et je ne me laisse plus toucher par le propriétaire de la maison. Je ne lui fais plus rien, même s'il nous chasse de l'immeuble. — C'est ce qu'il t'a dit, qu'il te chasse ? — Non, c'est maman qui le dit, parce que nous avons des dettes, que des gens viennent à la maison nous réclamer de l'argent. » Je me tais, même si je ne comprends pas tout, je vois Maria contente d'être avec moi aux lavoirs, elle aime aussi le boumeran, elle fait un demi-mouvement pour le lancer, elle sent une secousse, elle crie joyeuse et surprise, comment puis-je y jouer s'il est si lourd ? Mais s'il est fait pour voler, lui dis-je, il ne peut pas être lourd. « Toi tu le fais voler ? », oui, lui dis-je, elle demande quand, je ne le sais pas encore. « Quand ce sera le moment, je pourrai être là ? » Je réponds non, le boumeran n'est pas un jeu, c'est un grand secret. Il volera en se détachant de mon bras, avec un adieu de tous les muscles qu'il a développés et il fera du bruit, il fera peur, il frappera peut-être quelqu'un, on cherchera le coupable, à qui est le boumeran ? Et on viendra ici au sommet de Montedidio et je répondrai que c'est moi, que je suis le lanceur de boumeran. Ce sont des pensées muettes, Maria ne peut les connaître. Elle prend ma tête entre ses mains, l'appuie contre sa poitrine, et sous le gonflement de sa chair qui dépasse je sens sa respiration, puis le battement dur de son cœur : on dirait quelqu'un qui frappe et j'ai envie de répondre « entrez ».

Maria a de profondes respirations, ma tête monte et descend sur sa poitrine. Elle dit qu'à présent ça va, que maintenant elle fait cette chose, du plaisir des hommes, pour moi, comme ça c'est beau, et pas la saleté du vieux corps du propriétaire de la maison, ses gestes sur elle. Le corps de Maria est parcouru d'une décharge, une secousse, comme une nappe qu'on agite. Elle ouvre les yeux, je vois son visage attristé. Alors je prends le boumeran, je place la pointe des ailes en bas et je pousse aussi vers le bas les coins de ma bouche avec deux doigts, pour caricaturer son visage. Puis je retourne les pointes du boumeran qui devient une bouche qui rit, j'y ajoute la mienne et Maria fait comme nous, le boumeran et moi, sa bouche s'étire et ouvre son visage, elle embrasse ma tête. Quand elle la dégage de ses bras, elle s'en va.

Rafaniello frotte sa bosse contre le mur, elle le démange. Il travaille vite, il doit finir de réparer beaucoup de souliers pour les pauvres, août est déjà le début de l'hiver, dit-on chez nous. Les souliers sont importants pour la santé. On vient le voir avec des savates trouées, dépareillées, lui il répare et recommande de se laver les pieds, avec les pieds propres les souliers durent plus longtemps. Ça va, même si on les lave dans la mer, à Naples les fontaines sont rares. Rafaniello ne souffre pas de la puanteur du cuir pourri, des plaies de pieds noircis, son nez doit être saint. Mast'Errico au contraire ne veut pas sentir et il lui fait déplacer le sac de souliers d'un autre côté. Moi je l'aide, mais quand je le charge sur mon dos, je retiens ma respiration.

Il travaille dur, le rouge de ses taches de rousseur est plus vif alors que ses yeux verts sont calmes. Il me dit que la nuit les os des ailes craquent dans sa bosse, elles essaient de remuer et font mal. Ça va bientôt arriver.

J'ai fait le compte que de Naples à Jérusalem il y a deux mille kilomètres de vol. Vous pensez voler au-dessus de la mer jusque-là ? Il ne me répond pas. Vous devez vous remonter, vous devez manger comme le font les oiseaux migrateurs avant de partir. Puis je pense, sans le lui dire, que si tout va bien il arrive jusqu'à Castellamare di Stabia de l'autre côté du golfe, on le prend pour un griffon et on lui tire dessus pour l'empailler. C'est trop moche de penser ça, non, non, avec ses ailes toutes neuves Rafaniello fait le tour du monde, il y arrive, il suffit qu'il se nourrisse mieux. Faites-vous deux œufs battus, avec un peu de sucre moi aussi je me sens la force de voler. Rafaniello me regarde du vert de ses grands yeux : « De la façon dont elles bougent, ce sont sûrement de grandes ailes. » Nous nous remettons au travail, lui avec ses petits clous dans la bouche, moi avec le balai, je nettoie son coin et pendant que je suis derrière lui j'entends un craquement d'os dans sa bosse et je pense au boumeran. Lui aussi frémit dans ma main pour s'envoler vers le ciel. Je dois le lui présenter. Lui, il m'a déjà dit le secret de sa bosse et moi je ne lui ai pas rendu la pareille.

Là où il habite, une chambre qui était un débarras, il n'y a pas de lumière électrique. Le soir, il allume une bougie. Il la pose sur une chaise, il dit qu'il faut qu'elle soit basse car la lumière veut monter. Il dit aussi que la bougie éclaire l'obscurité, elle ne la chasse pas. Au feu de la mèche, le verre de vin s'allume, l'huile brille, le pain sent le feu et se met à sentir bon. Qu'est-ce que vous mangez d'autre ? lui dis-je. Un oignon, dit-il, comme il est beau près de la bougie, on a plutôt envie de l'embrasser que de le couper. Puis il y met de l'origan, le sel scintille quand il en fait tomber une pincée sur l'assiette devant la lumière. Pendant qu'il me parle de ces choses connues, je m'aperçois que je ne les ai pas encore vues sous une bougie. Elles semblent meilleures. Elles sont nourrissantes, elles lui suffiront pour voler jusqu'à Jérusalem. Puis il dit que la pièce devient plus grande avec une seule petite flamme, les ombres bougent sur le mur et lui tiennent compagnie et il dit que l'hiver une bougie arrive même à réchauffer. En fin de soirée, j'écris les histoires de Rafaniello, puis j'éteins la lumière. Papa et maman n'aiment pas les bougies, on s'en servait pendant la guerre.

On a emmené maman à l'hôpital. La maison est silencieuse, immobile, j'ai du mal à y rester. Je lave par terre, je mouds un peu de café pour papa, pour faire un bruit à moi. J'ai la permission d'allumer le gaz, je fais cuire des pâtes, comme ça il les trouve prêtes ce soir en rentrant. J'ai même la clé de la porte de la maison. Il m'a suffi d'arriver à treize ans et aussitôt j'ai eu ma place parmi les hommes, j'ai perdu la mauvaise odeur de l'enfant. La voix aussi, maintenant j'ai un souffle rauque, je le racle dans ma gorge mais il n'est pas sonore en sortant. Il est sous la cendre de ma voix d'avant, j'essaie de libérer mon gosier, en vain, il en sort une voix de sommeil, la voix de quelqu'un qui se réveille et dit son premier mot de la matinée. Je suis rauque tout le temps.

Plus que le reste, ce sont mes mains qui changent, maintenant elles sont capables de tenir, elles se sont élargies pour serrer le boumeran. Le bois perd du poids, il le passe aux bras, aux poings, aux doigts. Moi je n'ai pas de cible, je ne dois pas frapper, j'ai l'air libre, le ciel tiède avec l'odeur des paillettes de savon. Un soir d'automne, quand le temps se rafraîchit et que les maisons ferment leurs vitres, je ferai un lancer, je ne verrai même pas un centimètre de vol, pourtant, tous les soirs, je le prépare cent fois par bras.

Maria monte aux lavoirs avec l'obscurité, elle ne me touche pas, elle n'appelle pas mon zizi à sortir de sa peau. Elle a dit assez au propriétaire de la maison, et il l'a mal pris, il a brandi la menace de l'expulsion, les parents de Maria lui doivent tout un arriéré de mensualités. Maria lui a craché devant les pieds et elle est partie. Elle montre tout son courage, elle est femme jusqu'au bout des ongles et elle connaît déjà le dégoût. Finie la comédie, dit-elle, que lui l'appelle princesse, lui fasse porter les vêtements de sa femme morte, lui mette toutes sortes de choses précieuses et puis la touche et se fasse toucher, maintenant elle ne veut plus parce que je suis là moi. Je suis là moi : en même temps je deviens important. Jusqu'ici, présent ou pas, ça ne changeait rien. Maria dit que je suis bien là moi et voilà que je m'aperçois moi aussi que j'existe. Je me pose la question : je ne pouvais pas m'en apercevoir tout seul que j'existais ? Il semble que non. Il semble que ce doit être quelqu'un d'autre qui le signale.

Assis par terre sous le rebord des lavoirs, Maria me fait poser les mains sur sa poitrine. Je suis un peu de travers, dans une position inconfortable, mais je les laisse là. La frange noire sur son front prend un peu de vent d'ouest léger et frais, il lui essuie le visage, nous nous regardons en silence des minutes entières. Je ne savais pas que c'est si beau de regarder, de se regarder tout près. Je plisse mon bon œil, avec l'autre je vois moins nettement, mais mon nez se réveille et fait monter à bord l'odeur de transpiration de Maria et celle amère du bois du boumeran qui est sur mes genoux. Elle aussi ferme un œil à demi, puis alterne avec l'autre, nous nous regardons intensément et on a envie de rire de nos grimaces qui font changer la lumière des yeux. Ce soir, elle a dit : « Tu comptes pour moi. » Moi aussi je tiens à elle, mais je ne sais pas le dire de façon aussi juste et je ne peux même pas répondre : pour moi aussi. Alors je me tais.

Le propriétaire de la maison est allé frapper chez Maria, elle a ouvert et lui, il l'a priée, priée, il se mettrait à genoux pour qu'elle vienne chez lui. Maria lui a fait « ntz » la tête en arrière, un crachat de non. De la cuisine, sa mère a demandé qui c'était, alors le propriétaire a fait la scène des huissiers du tribunal qu'il allait envoyer pour saisir les meubles et la mère l'a prié de ne pas le faire et elle aussi voulait se jeter à ses genoux et seule Maria ne se jetait pas, elle savait que leurs genoux étaient tous inutiles, parce que de toute façon elle ne retourne pas chez le vieux. Je demande si sa mère sait pour les visites, elle ne répond pas, elle ouvre les mains et me pose un baiser sous le nez : « Toi tu es mon fiancé, ma famille, si on nous expulse, je m'enfuis et je viens chez toi. » Être fiancés donne des pensées culottées.

Du linge est encore étendu, des femmes peuvent monter le ramasser. « C'est le mien, dit Maria, je l'ai apporté pour avoir l'excuse de sortir. Je me suis mise à laver, repasser, comme ça maman peut aller chercher de l'argent pour le loyer. » Je lui demande comment ça se fait que sa famille n'arrive pas à payer le terme et qu'elle vive mieux que la mienne. Ils se fourrent dans le pétrin avec le jeu, le loto, les paris sur le foot, les chevaux, ils ont des dettes, me dit-elle. « Mais moi je ne vais plus porter l'argent qui manque au propriétaire de la maison, qui le compte et dit que c'est pas assez. Qu'elle le porte elle-même. »

Maria ne va pas à l'église le dimanche, elle dit qu'elle ne peut pas parler à son confesseur de ces choses des visites, elle ne peut pas demander la communion. Je lui dis que le propriétaire y va, qu'il se confesse et prend l'hostie. « Le curé a le même âge, ils s'arrangent entre eux. Moi, il me faut un confesseur de treize ans qui comprend le dégoût, notre âge, que nous sommes des pantins aux mains des grands, qu'on ne compte pas. » Le Père éternel voit tout Maria, lui dis-je. « Oui, il voit tout, mais si c'est pas moi qui pense à arranger les choses, il reste à regarder le spectacle. » J'avale le blasphème de Maria, je deviens rouge, comme si c'était moi le Père éternel qui a vu et n'a pas aidé.

Les muscles du lancer deviennent durs, maintenant moi je suis là pour toi, nous sommes fiancés, dis-je et d'ailleurs, au fait, Maria, que font les fiancés ? « Ils font l'amour, se marient, s'enfuient ensemble », dit-elle avec assurance. Je ne demande rien d'autre, il me suffit qu'elle le sache elle. Nous nous regardons, nos yeux sont agrandis par l'obscurité. Elle ouvre son sourire et la pointe de mon zizi remue toute seule. Quand elle ouvre la bouche et découvre ses dents, ça me picote et je sens du chaud justement là. Je passe le bras autour de son épaule, je serre un peu. C'est la première fois que je la touche moi, qu'un mouvement commence par moi. Maria appuie sa tête sur mon bras, je ne vois plus son visage, la démangeaison du zizi se calme. Je sens une drôle de force, la puissance des lancers a formé aussi le muscle qui tient Maria. Elle se lève, entasse dans ses bras le linge étendu et me salue en tendant son cou en avant pour un baiser. Alors j'avance ma bouche droit vers la sienne, comme ça nous sommes pareils. Les fiancés font des gestes pareils.

À la boutique, je retire le boumeran de dessous ma veste et je le laisse en vue. Mast'Errico le serre, le retourne, le renifle. « Il est épais », dit-il, puis il crache dessus et frotte avec son pouce. Sa familiarité m'effraie, le boumeran est ancien, il est étranger, c'est une arme, comment ose-t-il faire ça ? Il me fait voir l'endroit qu'il a frotté, il a pris une teinte violette, il met sa bouche dessus : « Il est plein de tanin, c'est de l'acacia. » Je lui raconte comment je l'ai eu. On ne peut pas le travailler, il est trop dur, tu peux casser le rabot dessus, tu n'en tires même pas une béquille, il n'est pas bon pour le poêle. Il doit bien servir à quelque chose, mais lui ne le sait pas. En me le rendant, une décharge électrique lui brûle la main au passage, il a un sursaut d'étonnement : il conduit le courant ? Moi je ne l'ai pas sentie, dis-je en mentant, parce que je me suis habitué au frisson du boumeran. Le visage de mast'Errico devient sombre comme lorsqu'il ne comprend pas un problème, puis il s'en tire avec son couplet : « Allez, au boulot, la journée est une bouchée. »

Je laisse le boumeran près de Rafaniello. Le tas de chaussures trouées diminue, sous ses mains elles marchent toutes seules, la graisse les fait briller, on sent un parfum de cuir heureux. À midi, quand mast'Errico va déjeuner, les gens passent chercher leurs souliers réparés. Avec les premières nuits fraîches, les pauvres semblent encore plus mal lotis, ils se mettent sur le dos une couverture en laine de l'armée, deux vestes ou bien toutes leurs chemises, s'ils n'ont pas autre chose. « Don Rafaniè, o pateterno v'adda fa' diventa' ricco comm' 'o mare », Don Rafaniè, le Père éternel doit vous faire riche comme la mer, lui disent-ils en échange du travail qu'ils ne peuvent payer, avec les bénédictions sur la santé, contre les mauvaises langues et le mauvais œil. « Puissiez-vous échapper au feu, à la terre et aux gens méchants », « puisse l'or sortir de votre bosse », Rafaniello est content, il dit qu'il vaut mieux des bénédictions que des sous parce que au ciel on les écoute. Et les malédictions aussi on les écoute, dit-il, et il crache par terre pour se rincer la bouche de ce triste mot.

Un marchand de peignes ambulant lui avait laissé ses souliers et s'en était allé pieds nus. Il revient pour chercher sa paire de chaussures, s'assied, retire les chiffons sales qui entouraient ses pieds. Rafaniello sort les souliers, l'autre ne les reconnaît pas tellement ils sont neufs, alors il le prend dans ses bras, le serre lui et sa bosse, et Rafaniello souffre à cause des ailes qui sont comprimées dedans. Le marchand de peignes a apporté une cuvette, il y met de l'eau et lave ses pieds couverts de crasse, il leur rend leur propreté pour enfiler avec respect la paire de souliers parfumés de graisse et de chromatine. Il le fait pour Rafaniello qui recommande toujours la propreté. Il veut lui offrir un peigne en os, mais pour la tignasse rouquine de Rafaniello il faut au moins un peigne en cuivre. Il l'étreint et l'embrasse encore une fois, puis s'en va en braillant par tout Montedidio le cri de son métier qui me fait rire : « Pièttene, pettenésse, pièttene larghe e stritte, ne' perucchiù, accattáteve 'o pèttene » qui va bien en napolitain très à l'aise dans l'insolence, mais en italien il ne vend même pas une épingle à cheveux celui qui fait toute l'Italie en disant : « Peignes, petits peignes, larges et étroits, vous les pouilleux, achetez-vous un peigne. » La voix est forte et ajoute au bout de son cri : « Don Rafaniello 'o scarparo è 'o masto 'e tutt'e maste e fa cammena'pure li zuoppe », Don Rafaniello le cordonnier est le maître de tous les maîtres et il fait marcher même les boiteux.

D'autres pauvres font moins de tapage, mais de leurs voix rauques, fines, jaillissent des bénédictions puissantes comme des coups de canon. Rafaniello répond : « Mirzashè » qui dans sa langue signifie : si Dieu veut. Aucun prince n'a les bénédictions que les pauvres ont dans leurs os, qui partent des pieds, prennent leur élan le long du corps et jaillissent de la bouche. Les pauvres ont une gratitude qu'aucun roi n'a jamais entendue, et ils lui donnent une poussée vers Jérusalem : c'est ce qu'il dit et j'y crois. À l'heure du déjeuner, je ferme la boutique, Rafaniello retire sa veste, me demande ce que je vois sur sa bosse. Je vois une blessure, un point violet au sommet. Elle commence à se fendre, dit-il, comme une coquille d'œuf. Je glisse le boumeran dans le bout de corde que j'ai cousu sous ma veste et je remonte à la maison.

Dans l'escalier, je croise le propriétaire de la maison, je me mords la langue pour ne pas le saluer, il ne me remarque pas, il monte vite, tout essoufflé, il dépasse l'étage de son appartement, il va chez Maria, je vois qu'il porte un petit paquet de gâteaux. Pour la première fois, je pense au boumeran que j'ai sur moi comme à une arme, je le lui lancerais bien. Cette mauvaise pensée rend le bois plus lourd. Je rentre à la maison, elle est vide, silencieuse, j'ouvre les fenêtres et je fais entrer l'air d'automne humide de vent du sud-ouest. Maman ne revient pas et papa tourne en rond dans la maison sans dire un mot, il n'entre pas pour voir si je suis dans ma chambre, si je dors, nous nous sommes détachés. Je prépare le dîner avec l'argent qu'il pose sur la table, je marque les dépenses sur un papier et je laisse la monnaie. Pour le moment, je garde pour moi la paie de mast'Errico. Je me souviens des couplets de maman qui s'asseyait une minute sur mon lit pour me les chanter après les prières : « Oi suonno vieni da lo monte / viènici palla d'oro e dàgli 'nfronte / e dàgli 'nfronte senza fargli male. » Ohé sommeil viens de la montagne / viens ici boule dorée et frappe son front / et frappe son front sans lui faire mal. La musique pesait sur mes yeux et les fermait. Maintenant je me couche sans bonne nuit, je m'expédie tout seul sur un côté, c'est ce que dit Rafaniello quand il va dormir.

Je dis encore mes prières. Dans le débarras où je dors il n'y a pas de fenêtre et pendant que je prie mon Ange Gardien, il me semble être aux lavoirs, là-haut, avec tout un ciel bien dégagé pour plafond. Je ne crois pas que c'est de la foi, je le fais par habitude, pour ne pas effacer les derniers mots du soir. Rafaniello dit qu'à force d'insister, Dieu est contraint d'exister, à force de prières son oreille se forme, à force de larmes ses yeux voient, à force de gaieté son sourire point. Et je pense : comme le boumeran. À force d'exercices le lancer se prépare, mais la foi peut-elle venir d'un entraînement ? Je répète ses mots en les mettant par écrit, plus tard peut-être je les comprendrai. Il dit aussi qu'il faut chanter pour donner de l'air aux pensées, sinon, enfermées dans la bouche, elles moisissent. Si je me mets à chanter moi aussi de cette voix éteinte que j'ai là-dedans, ce sera un festival. Mast'Errico tient à se faire entendre malgré la raboteuse. Don Rafaniè, à force de vivre à Naples vous ne seriez pas devenu napolitain par hasard ? Non, dit-il pour rire, c'est que les Napolitains sont peut-être une des dix tribus perdues d'Israël. Comment ? Vous avez perdu dix tribus ? Et il vous en reste combien ? « Deux seulement, une est celle de Judas qui nous donne le nom de juifs, un nom qui vient du verbe remercier. » Alors, vous les juifs, vous vous appelez : merci ? « C'est ce que dit le mot, mais tous les hommes devraient s'appeler comme ça, avec un mot de remerciement. »

Aujourd'hui, avec le petit soleil tiède de novembre, la ruelle se mettait dehors, poussait les chaises dans la rue près du bâton du linge et du brasero. « È asciuto'o pate d'e puverielle », dit mast'Errico, le père des pauvres est sorti. C'est le soleil des mois de froid qui met sa couverture sur le dos de ceux qui n'en ont pas. Les voix des marchands ambulants qui profitent des fenêtres ouvertes pour appeler dans les maisons depuis la rue, sont montées à Montedidio. « Olive di Gaeta, tengo olive pietr 'e zucchero, calate 'o panaro. » Olives de Gaeta, j'ai des olives pierres de sucre, envoyez le panier. Les cris ont une telle force que les gens se mettent à la fenêtre. Du regard, je suis allé du côté de la rue pendant que je travaillais. J'avais envie, non pas d'olives, mais de sortir. J'apprends, c'est ça le boulot, à rester sagement à le faire quand dehors passe un soleil bas qui s'éteint aussitôt, le soir vient et on est toujours enfermé dans la boutique et on l'a vu passer sans le saluer. Chante, dit Rafaniello, les pensées doivent s'évacuer, elles doivent trouver un trou pour sortir, je fais oui de la tête mais il ne sort même pas un souffle rauque de ma bouche. Si je suis là dehors entre les pieds des autres, alors j'arrive bien à sortir une chanson, mais dehors je ne peux y mettre que les yeux. La porte est ouverte, le vent de la mer arrive à décharger une odeur de port jusqu'ici, je crois sentir la veste de mon père, pleine de graisse, de sel, de rouille et de goudron. Il chasse ma mélancolie. Au lieu de chanter, de souffler, j'aspire par le nez un peu d'air de la mer et du vent. Le cri des olives se rapproche. Je pense à mon père qui est dans les soutes et lui aussi a sans doute bien envie de sortir à l'air. Il le mérite plus que moi qui en suis à ma toute première mélancolie.

L'été avec maman nous allions l'attendre devant la grille à la sortie de son travail. On ne savait pas s'il finissait à l'heure ou s'il avait d'autres heures à faire. Je restais là dehors, je regardais les gens sur le quai Beverello qui montaient sur les bateaux blancs de la Span. Ils partaient pour les îles, ils montaient et débarquaient avec des chapeaux de paille. Il y en avait qui étaient rôtis tout crus par le soleil, maman riait parce qu'ils ressemblaient à des tomates : « Sbarcano 'e pummarole », les tomates débarquent. Elle, elle ne s'est jamais mise au soleil et n'est jamais allée à la plage. Moi, je ne suis pas encore monté sur un bateau, mais si j'y vais je ne mets pas de chapeau de paille. Nous attendions papa et lorsqu'il sortait lavé et coiffé, avec sa belle veste et sa chemise blanche boutonnée jusqu'au cou, nous étions la plus belle famille du bord de mer. Nous allions nous promener jusqu'à Mergellina en passant par Santa Lucia, il m'achetait un *tarallo* de Castellamare. Maman lui donnait le bras, moi j'étais de l'autre côté dans sa main ouverte. Les gens s'écartaient pour ne pas déranger notre formation. À Naples, on respecte les familles, si deux familles se croisent, elles se saluent.

Papa est aussi grand que l'armoire et il passe de justesse sous le montant de la porte, dans la rue il est impressionnant à côté des autres, maman aussi est grande, avec des cheveux très noirs. Elle est maigre, ses nerfs se voient sur son visage. Lorsqu'un geste brusque lui échappe, elle est dangereuse, son mouvement est un ressort, elle casse ce qui l'entoure. Elle tord sa fourchette quand elle mange, s'il lui vient une idée biscornue. Je ne lui donnais plus la main dans la rue, car parfois, perdue dans ses pensées, elle me l'a serrée à me faire pleurer. Papa dit qu'elle a plus de force que lui. Il n'y a jamais eu d'enfant plus fier que moi sur le bord de mer. Même devant les clubs nautiques où vont les messieurs qui sont très riches, moi, sous mes deux géants, je me sentais plein d'une fortune que rien ne pouvait égaler.

Sur la promenade du bord de mer le long de la villa communale, nous passions à l'heure où les pêcheurs tiraient à terre les deux bouts de câble du grand filet. Il y avait six hommes à chaque bout, ils tiraient d'un coup tous ensemble, le plus vieux leur donnait le signal. Le câble tournait sur leurs épaules, les pieds croisés, ils poussaient de tout leur corps, ils traînaient la mer à terre. Le filet s'approchait, large, avec lenteur, tandis que les deux câbles s'entassaient en anneaux sur la route. Quand il arrivait en bas, les poissons lançaient des étincelles, tout le blanc de leur corps éclatait, ils tapaient de la queue par centaines, le sac renversait au sec tout le tas de vie volée aux vagues, papa disait : « Voici le feu de la mer. » L'odeur de la mer était notre parfum, la paix d'un jour d'été une fois le soleil couché. Nous restions silencieux, serrés les uns contre les autres, ça a duré jusqu'à l'année dernière, jusqu'à l'année dernière j'étais encore un enfant.

L'odeur du port est montée jusqu'à la ruelle et j'oublie ma mélancolie. Mast'Errico m'a vu un peu abattu et il me dit de boire du bouillon de poulpes : « Te magne 'a capa e metti giudizio. » Tu manges la tête et tu deviens sage. Un marchand de poulpes se tient en haut de la ruelle d'en face, il ne vend que ça, 'e purpe. Mast'Errico le connaît, il sait qu'il va les chercher entre les blocs de pierre de la digue foraine. « Ce n'est pas qu'il les pêche, dit-il, il les attrape avec les mains, comme un éleveur de poulpes. Il les nourrit de moules et le poulpe se console avec ça, il ouvre les coquilles, met les moules sur sa main et les poulpes viennent les prendre. Il les connaît tous un par un, il les appelle par leur numéro, il avance dans l'eau, dit un numéro, un poulpe arrive et s'accroche à sa main. Il le tue sans lui faire mal et on n'a pas besoin de battre les poulpes qu'il te vend, ils sont très tendres, même les gros. Chez lui tu ne trouves pas de petits poulpes, de tout jeunes, seulement des adultes. Va chez lui et bois du bouillon. »

À l'heure du déjeuner, Rafaniello me parle du temps où il était dans son pays et où il s'appelait mastro Daniele, Rav Daniel. Quand il était jeune, lui aussi était apprenti chez un cordonnier. C'était un homme rude, rien à voir avec mast'Errico. Il ne lui apprenait pas le métier, au contraire il le lui cachait. Rafaniello regardait un peu à la dérobée, le reste il l'apprenait en rêve d'un cordonnier qui est dans les saintes Écritures de son peuple. Il venait la nuit et lui enseignait l'art de la cordonnerie. Quand il était jeune, Rafaniello étudiait les choses de la foi, il s'endormait sur les livres ouverts. Il était donc facile qu'un saint sorte de là-dedans pour l'aider. Le cordonnier du rêve s'appelait Rav Iohanàn hassàndler, mastro Giovanni le cordonnier, et il lui montrait l'art que l'homme ne lui enseignait pas. « J'ai appris le métier des souliers dans le Talmud », un gros livre de choses saintes de son pays. Don Rafaniè, vous alliez à l'école même dans votre sommeil, vous ne vous reposiez jamais. Moi, la nuit, je ne veux rien savoir, même si la fortune s'amène avec les numéros du loto en poche, je lui dis : repasse demain. Moi, la nuit, je n'y suis pour personne, je dors comme un mort, je ferme les yeux, puis je les rouvre, dans la même position. Chaque matin est une résurrection.

Nous nous asseyons devant la caisse des souliers, il frotte sa bosse contre le mur, moi je la lui masse un peu. Sous sa veste les os remuent, des os d'ailes. Nous sommes entre nous, je lui dis : les femmes accouchent par-devant et vous par-derrière. « Les hommes n'ont pas l'honneur d'accoucher », répond-il. Nous mangeons assis l'un près de l'autre, il se rince la bouche, il crache, il fait ça quand il va parler de choses saintes : « Dans mon pays, je lisais les psaumes, où est écrite la question : "Qui montera sur la montagne de Dieu ?" et la réponse dit : "Celui qui a les mains innocentes et le cœur pur." Puis la guerre a frappé mon pays, elle venait de l'Ouest, elle passait sur nous, brûlait vifs les gens et la terre. C'étaient des ennemis que j'ignorais avoir. Je me suis caché dans du fumier, sous un plancher, dans une carrière de chaux abandonnée, je résistais, sans savoir pourquoi je voulais vivre alors que tous mouraient. J'étais un rebelle à ne pas mourir moi aussi, j'étais un blasphémateur à vivre. Je me suis caché, j'ai mangé et bu toutes sortes de substances, j'ai fait bouillir l'écorce des arbres, j'ai volé du miel aux ruches, j'ai bu mon urine mélangée à de la neige. La femme de Job lui dit : "Maudis Dieu et meurs", je ne l'ai pas fait, et Job non plus. Je n'ai pas maudit et je ne suis pas mort. La guerre a nettoyé mon cœur et lavé mes mains avec de la chaux. Quand elle s'est terminée, j'étais prêt à monter ici, au Montedidio, sur la montagne de Dieu. »

Le reste, il me le raconte le jour suivant, alors que dehors il pleut tant d'eau qui se gaspille, de l'eau bonne et propre qui finit en mer sans que personne ne sorte une casserole pour y faire cuire des pâtes. Donna Speranza, la concierge, recueille celle de mai, elle dit qu'elle fait du bien aux yeux. Elle s'accompagne de la descente d'eau le long de la ruelle, elle coule elle aussi, la voix fine de Rafaniello. « Avec moi, d'autres personnes de mon peuple sortaient des cachettes, elles aussi avaient été frottées à la chaux et rendues prêtes à la montée. Nous nous dirigeons vers le Sud, descendant toute l'Italie, si longue au milieu de la mer, si belle que c'est un péché qu'elle s'arrête, qu'elle n'aille pas plus loin. Nous essayons de nous embarquer pour la terre écrite dans nos livres saints, nous sommes sans passeport, sans droits, nous sommes des vivants refusés par la mort. Les Anglais ferment la mer, ils ne nous laissent pas passer. J'ai une mauvaise pensée : "Garde-la ta montagne, garde les Anglais à Jérusalem, prends-les pour peuple." Alors, lui il y repense, il retire les Anglais et à moi il me donne une punition sous forme de blague : le Montedidio, la montagne de Dieu, oui, mais à Naples. Il est vrai qu'ici on sait reproduire tels quels les meubles anciens, les montres de luxe et les paquets de cigarettes américaines, mais la montagne de Dieu est impossible à imiter, elle n'existe qu'à Jérusalem. Ici, en haut de la montée où l'on voit la mer et la bosse du volcan, il peut y avoir une terrasse panoramique, mais pas l'escabeau de Dieu. On a tout de même voulu appeler cette colline Montedidio et, tant qu'on y était, celle d'à côté on l'a appelée Montecalvario, et donc ça fait deux », dit Rafaniello et il le prend à la rigolade, car il faut accepter les punitions amusantes, parfois Dieu remet les hommes à leur place avec une pétarade, comme il dit. « Avec tout le respect qu'on lui doit, la Terre sainte n'a pas de succursales. Et moi, je suis resté ici, au sommet d'un Montedidio, mais pas celui de la montagne de Dieu, comme un touriste qui s'est trompé de réservation. » C'est sans doute sa voix frêle, sans doute aussi l'effort pour bien écouter qui fait sortir ses mots une nouvelle fois et moi je les écris de mémoire le soir sur le rouleau, avec la pluie insistante qui m'empêche de monter aux lavoirs.

Un cordonnier étranger sait parler de façon si précise en italien que je suis ému pour mon père qui s'efforce d'apprendre et ne sait pas la moitié des mots de Rafaniello. « Le vocabulaire italien aussi, vous l'avez eu en songe ? » Non, il dit qu'il l'a pris dans les livres, en lisant plusieurs fois Pinocchio. Moi aussi je l'ai lu, lui dis-je, heureux d'une chose que nous avons faite tous les deux. Il dit que dans son pays Pinocchio s'appellerait Iòsl et resterait de bois toute sa vie par fidélité à son créateur. « Maintenant tu sais ce qui m'est arrivé, à moi et à mes compatriotes qui n'y sont plus, à l'époque où j'étais Rav Daniel. Ceux qui meurent laissent l'histoire en héritage à leurs enfants, à leur famille. Mon peuple me l'a laissée à moi et à quelques autres. Moi, je te la dis parce que je pars bientôt, quand se fendra cette bosse de plumes et d'os. » Don Rafaniè, comment est cette Jérusalem pour que nous ne puissions pas l'imiter ? Il se rince la bouche, crache, puis dit qu'il ne la connaît pas encore, mais quelqu'un lui a dit : « Dans cette ville, la mort a peur d'être engloutie par la vie. C'est la seule ville au monde où la mort a honte d'exister. » Il ferme les yeux, balance le cou, il est déjà là-bas. Il doit être très spécial ce pays, à Naples la mort n'a honte de rien.

Rafaniello aime l'ail, l'huile, pas la tomate. L'heure du repas se passe entre son pain avec des légumes et le mien avec des anchois. Il dit que je garde mes secrets. Il sait me deviner, moi je ne dis rien. Il demande comment va maman. Ça fait un mois que je ne la vois plus, papa ne veut pas, il dit qu'elle est sous une tente avec des tubes attachés et que lui seul peut y aller. Pour changer de sujet, je lui dis : Vous savez don Rafaniè, vous avez fait le voyage de santa Patrizia. Elle aussi voulait aller à Jérusalem et une tempête l'a fait débarquer à Naples. Je lui raconte l'histoire de la sainte, elle est morte jeune à Naples et a laissé du sang miraculeux, il se liquéfie et se coagule continuellement, bien plus que celui de san Gennaro. Rafaniello est intéressé. Vous voulez savoir comment est sorti le sang de santa Patrizia ? Une nuit, un fidèle a forcé la sépulture et avec une pince il a extrait une dent de la sainte, pour la garder comme relique, et celle-ci, cent ans après sa mort, s'est mise à cracher du sang par la gencive. On l'a recueilli dans du verre et c'est ainsi que le miracle a commencé. Don

Rafaniè, ici il arrive des choses qui font passer celui qui les raconte pour un idiot, et pourtant elles arrivent vraiment. Cette ville est tout un secret. « C'est une ville de sangs, dit-il, comme Jérusalem. » Oui, oui, on est obsédé par le sang, les gens le mettent dans leurs blasphèmes, dans leurs insultes, ils le mangent même cuit et puis vont le vénérer dans les églises. Les femmes surtout prononcent frénétiquement ce mot, le sang. Et même la sauce du dimanche est si noire, si épaisse, qu'elle lui ressemble. Rafaniello s'amuse de ce que je raconte d'une voix mystérieuse, parce qu'elle est rauque.

Aux lavoirs, Maria raconte que le vieux est monté avec des gâteaux, sa mère est descendue acheter du café et il a remis ça avec ses prières, que si elle ne va pas chez lui il meurt : « Alors je lui ai dit : meurs. Il meurt tant de gens plus jeunes que toi, tu peux mourir toi aussi. Il est passé du gris au rouge, il a essayé de m'attraper, moi j'ai tourné autour de la table et il ne pouvait pas me prendre. Tu es méchante, disait-il, et il haletait si fort qu'il en crachait. Puis il s'est arrêté, il s'est mis la main sur le front, il s'est calmé et il est parti. Les gâteaux, il les a laissés et on les a mangés. » Maria a dit qu'il meurt, qu'il a vu la mort en face quand elle lui a dit : meurs. Il suffit d'un mot et tu peux casser un homme. Maria sait beaucoup de choses, elle sait par exemple qu'elle est plus forte qu'un adulte. Moi, ils m'intimident, elle non, elle peut même les attaquer. C'est peut-être parce qu'elle est une femme et qu'elle a connu le dégoût. Elle a treize ans et ses seins grossissent plus vite que mes muscles de boumeran. Elle me laisse les toucher, ils sont durs, elle dit : « Ils sont à toi. » Alors mon zizi se met à pointer et ma bouche salive. Elle demande si je veux ses mains, je dis non Maria, ne me fais pas les choses du vieux. Elle dit ça va, tu as raison, nous devons faire l'amour, mais elle me le dit en napolitain : « Avimma fa' ammore », avec deux m pour faire plus culotté, plus matériel. Et moi je dis : nous le faisons déjà, elle dit non, c'est un autre amour, tous les deux nus dans un lit comme des époux.

Il fait frais le soir aux lavoirs, dans le ciel les nuages s'étirent en forme d'arête de poisson, sous les coups de vent de là-haut. J'accélère les pirouettes de l'entraînement, comme ça je me réchauffe. Le mois de Noël est bientôt là, à Montedidio les joueurs de musette montent dans la journée. Maria apporte une couverture sur la terrasse, nous nous asseyons par terre à l'abri. Quand nous cessons de parler, elle pousse sa bouche droit dans la mienne, c'est notre salut, nous ne nous disons pas bonsoir, au revoir, à demain, rien, un baiser sur la gueule et nous sommes d'accord. Je m'entraîne encore un peu, le boumeran s'échauffe. Le bois tremble, déjà prêt, il fend l'air, pousse contre le ciel, moi je garde les pieds bien écartés sans me laisser déporter par la course du bras qui se détend et serre brusquement le frein du vol. Mon bras droit grandit autant que le gauche, comme les seins de Maria. Le rouleau grandit du côté qui est écrit, je ne relis pas en arrière, je vois qu'il est lourd. La partie qui reste devient légère. Maria ne sait pas qu'à l'intérieur d'un rouleau quelque chose a été écrit sur elle.

Le propriétaire de la maison est passé chez mast'Errico pour toucher le loyer. Lui l'a vu venir et il a dit : « Vene chillo che tene », il arrive celui qui possède, pour dire qu'il y a des hommes qui travaillent et font, et puis il y a ceux qui possèdent, qui sont propriétaires et ne font rien. Il arrive celui qui possède. Il ne dit pas un mot, il est abattu, il a le visage éteint de celui qui a passé une nuit blanche. Mast'Errico non plus ne dit rien d'autre que « bonjour », il paie avec les lires mises de côté, puis lorsqu'il est sorti, il dit : « Ça lui ronge la cervelle, le vieux, avec toute son avarice, c'est la première fois qu'il ne compte pas ses sous. » Je demande si c'est vraiment une personne avare. « Avare c'est peu dire, lui il a la main vierge, nisciuno l'ha potuto arapi' 'e ddeta », personne n'a pu lui ouvrir les doigts. Au nom de Maria je me suis risqué à en placer une, moi aussi, en disant que c'est un méchant homme. Mast'Errico m'a aussitôt repris : « Guagliò, chi parla areto se fa' risponnere d'o culo », mon garçon, celui qui parle derrière, dans le dos d'un autre, se voit répondre par le cul. Je me suis pincé les joues, honteux d'avoir parlé derrière. Ou on parle en face ou on se tait.

Tout le reste de la journée, j'ai pensé à l'oncle Toto que je n'ai pas connu. Il a été tué devant la poste centrale à midi par une bombe aérienne. Papa était son frère aîné, il allait décharger au port et oncle Toto partait avec lui et s'arrêtait sur le trottoir de la rue Medina pour cirer les chaussures des gens. La bombe l'a coupé en deux morceaux. Papa est sorti en courant après le bombardement et l'a trouvé à sa place, sa caisse de cireur était restée intacte, oncle Toto coupé en deux. On était en juillet, il y avait plein de poussière sur les corps des morts et pas une mouche, elles étaient mortes aussi celles-là. Ce détail lui est resté en mémoire et il le répète quand il veut se rappeler oncle Toto. Chaque année, papa m'emmène déposer une fleur sur la fosse commune, le cimetière est le jardin zoologique des morts. Ils sont enfermés là-dedans. Je suis allé au zoo avec papa et maman, un dimanche d'automne. Nous avons apporté du pain sec, j'en ai donné à l'éléphant qui le prenait dans ma main avec sa trompe et il le faisait si délicatement que c'était une caresse. Papa était content de m'entendre dire les noms difficiles des bêtes. Le reste du pain allait à l'hippopotame qui ouvrait son armoire de bouche et je lui en jetais un morceau dedans. Papa ramassait des baies d'eucalyptus, un nom qu'il n'arrive pas à prononcer, calyppus dit-il. Il les garde dans sa poche, il aime leur parfum, il les renifle quand il est dans les soutes.

Les cages ont les noms dehors, les bêtes dedans, immobiles. C'est leur résistance face à nous, rester immobiles sans donner satisfaction. Seul le loup nostalgique fait de l'exercice, il tourne en rond, à l'intérieur du grillage, et il regarde fixement un point dans le lointain, même s'il n'y a aucun lointain devant lui. Il attend en courant l'arrivée d'un chasseur, d'un sauveur, c'est ce que je pense moi. Les morts sont des bêtes enfermées, ils attendent la résurrection. Oncle Toto est un loup, avec l'envie de s'échapper loin de la rue Medina, du jour où on l'a enfermé. Je suis plus vieux que lui qui s'est arrêté avant ses dix ans, juste la veille. Il n'a pas été à l'école, c'est pour ça que mon père tient beaucoup à l'instruction, pour ne pas me voir forcé de vivre dans la rue.

De belles soirées froides arrivent, fouettées par le vent qui franchit le Vomero et san Martino et passe au-dessus de Montedidio avant d'aller astiquer la mer. J'attends que Maria monte, je m'entraîne et je regarde le ciel pour trouver une cible. Je lancerai le boumeran en fermant mon bon œil et en ouvrant le miro qui peut fixer le lointain sans pleurer. Puis, avec Maria, nous nous mettons à parcourir le ciel étoilé le nez en l'air, elle dit que c'est un couvercle, moi je dis que c'est un filet, chaque étoile est un nœud. Elle dit que nous vivons dessous, moi je dis que nous sommes à la même hauteur, nous aussi ceux de la terre nous flottons dans le ciel, comme des bouées.

Noël arrive, les créanciers frappent à sa porte, ils font des scènes, dans l'escalier on entend des cris, la mère n'ouvre pas, le père est parti. À la maison, je vois papa à six heures quand je réchauffe son café, j'en bois moi aussi, il ne dit rien. Tant que maman était là je prenais de l'ersatz, maintenant si je me mets à fumer, il ne s'en aperçoit même pas. Les grands sont pris par leurs soucis et nous, nous restons dans les maisons sourdes qui n'entendent plus un seul bruit. Nous n'entendons que le nôtre et il fait un peu peur. Les esprits frôlent mon visage dans la cuisine vide et ils me calment. Le boumeran est toujours en contact avec moi et il me réchauffe, son bois doit avoir poussé sous une poêle de soleil, et il en a gardé un peu. Maria s'abrite du froid avec un manteau et avec moi. Moi, je suis au vent de Maria et je la protège. Noël arrive, dit-elle, on achète un poulet et on le fait cuire, on se passe d'eux. Ce sera le plus beau de tous les Noëls, je fais des biscuits au four, dit-elle, et elle me met un baiser sur mes cheveux froids. Des baisers pleuvent de la tramontane.

Papa me prévient que le soir de Noël il sera avec maman à l'hôpital. C'est une chose à eux cette maladie, mon rôle à moi est de m'occuper de la maison et d'attendre, moi j'attends. Que vienne le vol du boumeran, qu'il se détache du lancer de mon épaule et se perde dans l'obscurité, qu'il aille taper contre les étoiles, contre leur couvercle d'après Maria, dans leur filet d'après moi. Je me sens la force de l'envoyer jusqu'aux nuages. Le boumeran est plus léger, il est prêt. Ce doit être bientôt. En attendant, Rafaniello ressemble à un oiseau, il devient maigre, les os ressortent sur son visage. Don Rafaniè, vous devez manger, le pain, l'huile, l'ail et l'oignon ne suffisent pas, le voyage est long et vous le faites en hiver. Les autres oiseaux sont déjà partis et arrivés. Je le sais, répond-il. Dans son pays, en septembre, il voyait les cigognes se grouper dans le ciel pour aller en Afrique, elles passent même tout près de Jérusalem. « Dans ma tête est en train de pousser un œil de cigogne qui connaît le chemin. » Je lui demande pour quand ce sera. « Quand volera le bois de l'arche de l'alliance, c'est ce que m'a dit l'ange. Je me tiens prêt pour la dernière nuit de l'année. Les Napolitains lancent par la fenêtre leurs vieilleries. Un d'entre eux jettera sans le savoir un bout de bois de l'arche. » Puis il ajoute d'une petite voix d'oiseau : « Il le jettera parce qu'à l'intérieur de l'arche il n'y a plus ni tables de la loi ni commandements. » C'est juste, cette nuit-là personne ne s'apercevra du vol de Rafaniello.

Je reste le balai à la main, préoccupé, mast'Errico rentre en avance, il fait : « Tu es déjà là ? Tu aimes le boulot ? », oui, dis-je, je mange avec Rafaniello. Mast'Errico se souvient qu'il n'y a personne à la maison et il m'invite chez lui à midi pour manger quelque chose de chaud. « Demain m'arrive la tresse d'Agerola, tu en as déjà mangé, mon garçon ? C'est spécial, Agerola est sur la hauteur, là les vaches mangent 'e ffoglie de' chiuppe, les chiuppe sont les peupliers. Les feuilles de peuplier donnent à la tresse ce léger goût amer, spécial. Tu veux venir ? » Je remercie, mais ça va bien comme ça, je reste volontiers à la boutique à midi. « Fais comme tu veux, je ne te le dirai pas deux fois », dit mast'Errico, il allume son demi-cigare et fait partir la scie. Entre lui et Rafaniello, il n'y a que des saluts, mais ils les échangent bien, avec intention. Ils se respectent : « Don Rafaniello a fait des souliers à tout Montedidio, avant ils allaient pieds nus. » « Et vous, vous m'avez donné du bois pour me chauffer et un endroit pour dormir, sans vous je me perdais dans les ruelles du port. » « Vuie cu' chella capa rossa che tenite nun ve sperdite manco int' a'na sporta 'e purtualle. » Je lui traduis : « Vous, avec la tête rouge que vous avez, vous ne vous perdez pas, même dans un panier d'oranges. »

À la boutique, mast'Errico nous lit dans le journal l'histoire d'un monsieur qui a la réputation d'être un jeteur de sort et qui, désespéré, décide de se jeter par la fenêtre et va tomber sur un pauvre malheureux qui passe juste à ce moment-là. Le passant meurt et le jeteur de sort, qui s'est jeté, se casse deux côtes. « Guagliò, chiste so' nnummere », dit-il, il faut les jouer au loto ces numéros et, en même temps, il va toucher la corne rouge qui est suspendue à l'entrée de la boutique. Rafaniello grommelle une conjuration dans sa langue et crache par terre. À la maison, la superstition n'est pas entrée, papa dit que c'est une affaire de femmes, maman dit que ce sont des foutaises et que, pour ça, les hommes sont plus enragés que les femmes. Nous, dit mast'Errico, déjà que nous sommes vivants par erreur et que nous existons en cachette de Dieu, il ne nous manque plus que l'œil qui regarde de travers, qui sèche d'envie et nous sommes ruinés. Chez nous, on n'en trouve pas un pour dire à un autre : « Tu es un veinard », il passe aussitôt pour un jeteur de sort s'il arrive quelque chose à cet autre. Il se tord le pied et s'en prend à celui qui lui a dit la phrase. C'est comme ça que commence une réputation. Rafaniello dit que dans son pays le mauvais œil se dit « anóre ». Il se rappelle que sa mère était belle, on lui faisait des compliments même quand elle était enceinte et elle les acceptait, elle ne faisait pas de conjuration, et c'est ainsi que lui est né un fils bossu. Chez elle, on lui en voulait, si elle disait « cananóre » son fils naissait normal. L'œil envieux abîme, dit mast'Errico.

Don Liborio, lui, craint même les vœux. Pour la semaine de la mi-août, il ferme l'imprimerie et va prendre l'air sur le Matese. Alors qu'il place sa valise dans le taxi pour aller jusqu'au car, il rencontre don Ferdinando, celui des pompes funèbres, qui lui envoie des clients pour les faire-part de deuil et qui est aussi un bon ami à lui. Ce dernier voit la valise et lui dit : « Don Libò, faites bon voyage » et don Liborio répond : « Merci, mais moi je ne pars pas, je viens d'arriver », il reprend sa valise dans le taxi et rentre chez lui. Il part le jour suivant. Il l'a raconté lui-même à mast'Errico qui a vu l'imprimerie ouverte le soir et lui a demandé pourquoi il était encore en ville. « E ppe fforza, comme partivo co' ll'augurio d'o schiattamuorte ? » Et bien forcé, comment je partais avec les vœux du croque-mort ? Puis mast'Errico s'est débarrassé du journal et des bavardages et il a fait sa conjuration de menuisier : « San Giusè, passace 'a chianozza », pour dire : passe-nous le rabot, sur ces discours.

J'ai parlé à Rafaniello de Maria et du propriétaire de la maison. Il est resté un moment sans rien dire, puis il a fermé les yeux très fort et il a dit : « Qu'il ait le sort du chien qui lèche la lime. » Il lui est venu une voix froide comme un vent de tramontane, un frisson m'est passé dans le dos. Qu'est-ce que vous dites don Rafaniè ? « Une malédiction », a-t-il répondu, mais avec sa voix retrouvée. « Moi je la dis, mais elle ne m'appartient pas, elle se sert de moi pour sortir. Ton histoire a été écoutée et une boule de grêle a plu sur cet homme. » Il y a beaucoup de choses que je ne comprends pas, celle du chien non plus. Don Rafaniè, elle est mauvaise la malédiction du chien ? « Mauvaise, le chien qui lèche la lime est en train de lécher son sang, mais ça lui plaît plus que la douleur et il continue jusqu'à se vider de tout son sang. » Le soir est venu, c'est l'heure de fermer, j'ai fini le ménage, je donne un coup de main à Rafaniello pour ranger sa caisse. Sa bosse fait un bruit d'os, lui il regarde en haut rejetant son sac d'ailes en arrière. Ses yeux verts, ronds, cherchent en l'air un point pour monter, la ville n'est que murs et balcons, le ciel n'y est pour rien. Mais lui, désormais, il arrive à s'orienter même dans un endroit fermé, il a dans sa tête la boussole des cigognes. Je baisse le rideau métallique, nous nous saluons, il dit que c'est beau d'avoir des ailes, mais plus beau encore d'avoir eu des mains bonnes pour travailler.

Mast'Errico a mis toute la rue sens dessus dessous avec sa voix. Il s'est mis en colère, il a sorti ce qu'il avait de plus mauvais. Un ouvrier travaillait sur un balcon du dernier étage, il réparait une corniche. À un moment, on a entendu un coup dans la rue, mast'Errico est sorti en courant et il a vu les plâtras. Il s'est mis à crier à l'ouvrier qu'en bas il y a des enfants, des gens. L'autre a répondu que lui il doit travailler, alors mast'Errico lui en a dit de toutes les couleurs et il a hurlé : « Scinne », descends. Descends et rentre chez toi sur tes deux jambes, sinon moi je monte et je te les casse. Il l'a dit à la napolitaine et si fort que la ruelle s'est tue. L'ouvrier a vu que ce n'était pas son jour et il est descendu, les gens étaient aux fenêtres et mast'Errico se tenait au milieu de la rue. Moi je suis sorti pour balayer les plâtras : « Statte fermo tu, m'a-t-il dit, l'adda fa' chillo. » Reste tranquille toi, c'est lui qui doit le faire. La chose devenait sérieuse. « Laissez tomber, mast'Erri, ne vous retournez pas les sangs, laissez faire le gamin », la voix de don Liborio l'imprimeur a calmé mast'Errico.

« Venez, allons prendre un café », il l'a pris par le bras et l'a emmené en haut de la rue. Moi j'ai balayé les plâtras, l'ouvrier a pu s'en aller.

Les femmes parlaient entre elles, elles disaient qu'il avait bien fait. Les femmes à Naples ne mettent pas la paix entre les hommes. La plus vieille disait que mast'Errico a un tempérament de camorriste et à l'époque des journées de septembre contre les Allemands, il avait entraîné toute la ruelle pour les chasser de Naples. Une autre a dit que lorsqu'il y a un homme comme mast'Errico dans une rue, les délinquants ne se montrent pas. Les femmes parlaient, comme ça j'ai appris des choses passées. Pendant ces journées-là, mon père était au port pour défendre son travail. Les gens de Naples étaient déchaînés, ils étaient au milieu de la rue, criaient « iatevenne », allez-vous-en, et leur montraient la sortie par le feu. Il y avait même eu des morts pour ça. Alors l'après-midi, j'ai interrogé mast'Errico. Il m'a répondu qu'ils étaient tous dans la rue, don Liborio, don Ciccio le concierge, les femmes, les gosses, et toute une foule de gens. « Les Allemands nous ravageaient, ils faisaient pleuvoir des bombes chez nous, pour finir ils voulaient emmener tous les jeunes en Allemagne, les faire travailler pour eux et ceux qui ne se présentaient pas étaient fusillés. Dans les rues, on voyait seulement des vieux et des femmes. Nous voulions les chasser, nous ne voulions pas rester cachés. Les Américains n'entraient pas dans Naples, ils attendaient, e nuie ce simmo scucciate d'aspetta', et nous, nous en avons eu marre d'attendre. »

Je voulais en entendre plus, au bout d'un moment j'ai continué à poser des questions. Mast'Errico était bien disposé : « Même don Petrella le curé est descendu avec nous. Sous les bombardements, il avait appris à dire la messe rapidement, un quart d'heure maximum. L'habitude lui est restée, si bien qu'on l'appelle don Frettella, don Pressé. Une sirène se mit à retentir juste au moment où il terminait l'office, après la communion. Au lieu de dire l'habituel : "ite missa est", il dit : "Fuite (fuyez), missa est !" Il était le premier à s'enfuir comme un lapin, il étrennait l'abri en courant sa soutane à la main, suivi de peu par le propriétaire de la maison qui arrivait le deuxième, troisième le général en retraite De' Frungillis. Au cours des journées de septembre, don Petrella aussi descendit au milieu du feu, non pas pour faire du mal aux Allemands, mais pour nous réconforter, il donnait l'absolution à ceux qui mouraient sous les balles, il la donna même à un soldat allemand. Tout Montedidio, un quartier tout entier était sorti, quand ce fut fini j'ai dit : "mo' chesta città è 'a mia", maintenant cette ville est la mienne. » Rafaniello écoutait et retenait ses larmes dans ses yeux ronds, mais elles ne sortaient pas, elles arrivaient au bord et retournaient en arrière.

Mon père m'a parlé, on a donné un peu d'espoir à maman. Devant le café, à six heures, avec la ruelle silencieuse et sombre, il s'est expliqué. Cette année, Noël est absent. « Je tiens seulement à elle et elle s'appuie sur moi de toute la force qui lui reste. Elle est faible, mais pas dans ses mains, elle serre fort, elle a même cassé un verre et elle s'est coupée. Nous avons un travail à faire ensemble. Ne te mets pas au milieu, c'est une chose entre nous, une chose ancienne de l'époque où nous allions nous mettre à l'abri sous les bombardements et où nous nous jurions que rien ne nous séparerait, pas même les bombes : nisciuno c'adda spàrtere, personne ne doit nous séparer. Quand une bombe éclatait tout près, le souffle la faisait vomir, je lui tenais la tête, elle rendait entre mes pieds, moi j'étais content de voir que notre amour savait faire ça aussi. Nous étions fiancés alors et nous étions plus liés que des époux. La guerre nous donnait la permission de faire comme ça. Si elle s'en va, moi je reste une poignée sans porte. » Il s'est forcé à utiliser l'italien, il a voulu me parler, il m'a accordé de l'importance. Je n'ai rien dit, je l'ai regardé bien en face. C'est peu, rester seulement devant lui et lui donner toute l'écoute que je pouvais, immobile et avec les yeux. Puis il a chassé ses pensées : « Nous recommencerons tous les trois, comme si rien ne s'était passé, on va recommencer avec nos dimanches. Tu te souviens de la solfatare ? » C'était l'heure de sortir et ce fut tout, il s'est levé, a rincé sa tasse dans l'évier. C'est la première fois qu'il le fait, il s'est éclaboussé, s'est essuyé, m'a fait un sourire.

Sa confiance a été grande, il m'a bien expliqué, en y mettant toute la patience de son italien appris. Dans sa bouche, c'est une langue du dimanche. Quand il lui manque un mot, il devient rouge sous l'effort et si je le trouve, il dit aussitôt : bravo, et il le répète, même si ce n'était pas celui qu'il voulait lui. Oui, j'y pense au dimanche de la solfatare. « Tu y penses, hein ? 'A tieni mente ? », oui, je m'en souviens bien. Il voudrait monter aussi sur le Vésuve, un dimanche d'hiver quand il y a de la neige dessus. « E t'a ricuorde 'a neve ? », quelquefois il me demande si je me souviens de la neige, moi je fais oui de la tête et maintenant, devant mes yeux qui regardent dehors dans le noir, passe la neige de 56, la pluie molle du nord, blanche, silencieuse. Et nous en parlons encore et lui dit chaque hiver : « Cette année, il neige même sur la mer », avec l'envie de la revoir. Le port devient propre, on ne voit plus la saleté, l'huile, la rouille et quel silence s'étend sur la ville, même le tram oublie qu'il est en fer et il passe muet comme un trolleybus. « Et même 'e muntune 'e munnezza, les tas d'ordures, paraissent beaux. » Et les chênes verts de la villa communale sont sous une calotte blanche et moi je pense : comment font les aveugles sans le blanc ?

Papa est sorti avec du linge de rechange pour maman, enveloppé sous son bras, j'éteins l'électricité, je suis seul, il fait froid, je serre le boumeran dans ma main et je me réchauffe. Bien sûr, papa, que je me souviens de la solfatare de Pozzuoli. Il m'a emmené un dimanche, sans maman qui ne supporte pas les odeurs fortes et ne se met pas de parfum. Le tram jusqu'à Bagnoli, puis à pied, il tombait une pluie fine, des gouttes de tête d'épingle, elles faisaient des chatouilles à la mer calme, à la plage moisie de goudron. Sous le parapluie, j'avançais à ton pas, je me dépêchais, je ne faisais pas attention à l'eau, je me mouillais les pieds. Dès l'extérieur, l'air était chargé de soufre. Nous sommes entrés, papa, tu t'es mis à lire le panneau qui expliquait que « la solfatare est une exaltation volcanique ». C'était « exhalaison », mais je ne t'ai pas corrigé. Quand un volcan meurt, la dernière chaleur qui s'échappe c'est le sel vert du soufre. C'est la couleur des yeux de Rafaniello. Nous arrivons au cratère qui est creusé dans une plaine, des croûtes de la terre monte une paisible fumée. Un puits de boue cuit à gros bouillons, papa ferme le parapluie, la vapeur de la solfatare arrête la pluie, l'essuie en l'air. Seuls les souliers font du bruit sur le sol. Sans le mouvement de la ville tout autour, la tête me tourne un peu.

Je vois un papillon noir, je lis les noms écrits sous les plantes près du cratère : laurier, myrte, arbousier. Je retire mes souliers près d'une fumerolle, je fais sécher mes chaussettes, la terre est chaude et, dans le dos, c'est agréable. Une odeur de brûlé vient du fond de mon pantalon, je m'aperçois trop tard qu'il a grillé au niveau du postérieur, papa rit, puis il pense à maman qui doit l'arranger et il arrête. Nous tournons autour du cratère, je ramasse des petits cailloux verts pour écrire comme avec les craies de l'école. Je crois que je les ai toujours, si je les trouve, je les porte à Rafaniello pour voir leur ressemblance avec ses yeux. Au retour, papa achète un morceau de museau, la lèvre cuite du veau. Maman aime ça, il nous servira d'excuse pour le pantalon. Puis nous remontons Montedidio et près de nous passent des élèves de l'école militaire de la Nunziatella, les boutons dorés de l'uniforme, l'épée de cérémonie au manche blanc, pendue à la ceinture. Au milieu des vêtements usés de la foule, les leurs brillent, ce sont des garçons jeunes, à peine quelques années de plus que moi, ils marchent en bombant le torse sans regarder dans les yeux. Ça doit être moche de se distinguer ainsi des gens, de s'écarter d'eux. À la maison, maman ne dit rien pour le pantalon et pour le museau, ni reproches ni remerciements, nous avons égalisé.

Rafaniello a le visage tout chiffonné, il n'a pas dormi, les ailes ont cassé l'étui de sa bosse. Elle s'est fendillée comme un œuf, sans une goutte de sang, sa veste est plus gonflée. Il dit qu'il les a ouvertes, elles sont plus grandes que celles de la cigogne. Il a décidé d'attendre la nuit des feux d'artifice, entre-temps il s'entraîne le soir dans sa chambre. Autrefois, les coups de Naples lui faisaient peur, il retrouvait le vacarme de la guerre : « Cette fois-ci, ce seront des feux de salut. » Je lui dis que moi aussi j'ai décidé, je lance le boumeran cette même nuit, le boumeran aussi a les ailes prêtes. « Combien de temps reste-t-il ? », demande-t-il, deux semaines. Je sors de ma poche le petit caillou de soufre, c'est la couleur de vos yeux, dis-je. Il le place devant la lumière : « Soufre et feu, il pleut du soufre et du feu le jour de Sodome et Gomorrhe. Des yeux verts, des cheveux roux, le Père éternel m'a fait comme un tison d'incendie. » Il me demande si ses yeux sont vraiment aussi verts. Bien plus, dis-je, ils ont gardé la lumière des larmes, le soufre non. Rafaniello est en train de terminer le tas de souliers, les gens viennent les chercher, il ne les laisse pas en déposer d'autres. À Naples on marche maintenant chaussés.

J'aide mast'Errico à passer le rabot sur des tables en bois de mélèze, il en sort une odeur de résine, un parfum qui dilate le nez. Mast'Errico regarde les premiers copeaux, il hoche la tête : « On ne peut pas le faire à la machine, dit-il, nous devons les finir à la main. » Il me fait voir les grumeaux de résine, il dit qu'ils ont durci et qu'ils peuvent casser la lame de la raboteuse. La résine du mélèze, quand elle est sèche, c'est de la pierre. J'apprends ainsi à me servir du rabot à main en imitant mast'Errico. Les copeaux de mélèze sont blonds, pas très bouclés, j'ai l'air d'un coiffeur pour bois. À midi, je m'aperçois qu'une plume est tombée sous la caisse de Rafaniello, je la ramasse, elle est légère, dans ma paume je ne la sens pas. Don Rafaniè, celle-là je la « tiens » en souvenir de vous. « Tu as raison de dire tenir au lieu de garder. Garder est présomptueux, en revanche tenir sait bien qu'aujourd'hui il tient et demain qui sait s'il tiendra encore. Tiens la plume en souvenir. » Je pense au boumeran, je le tiens bien serré, puis je dois le quitter. Je le sors de ma veste de travail, regardez don Rafaniè comme il est bien fait pour voler lui aussi. Nous mastiquons du pain avec des brocolis et nous regardons le boumeran. Lui s'arrête de manger, me demande sérieusement de quel bois il est fait. D'acacia don Rafaniè, un bois dur. Un hoquet lui échappe, une toux forte, il crache même un morceau de brocoli, puis il se calme et, toujours assis, il agite son corps d'avant en arrière en répétant « acacia, acacia », en larmes, le visage aussi rouge que ses cheveux et un bruit d'os derrière le dos.

Tandis que j'écris sur le rouleau, je ne me rappelle plus comment on dit en italien : il a éclaté en larmes ou bien les larmes ont éclaté. Bref, c'était tout un bazar à midi, moi je n'ai rien compris et je n'ai rien pu faire, j'ai attendu à côté de lui sans manger. Je ne le regarde pas, j'attends, au bout d'un moment le bruit de ses quintes de toux change, elles deviennent des éclats de rire, un rire plus muet que ses larmes d'avant, il rit et je me mets à rire moi aussi en le voyant se tordre et répéter le mot acacia, avec les a qui sortent étranglés, il rit, il rit, il ne s'arrête pas et moi je ris avec lui en pensant que si mast'Errico entre et nous trouve comme ça, il nous lance un seau d'eau dessus pour qu'on s'arrête. Rafaniello se calme et je suis content de ce fou rire qui me donne la permission d'avoir de l'appétit. Je finis le pain avec les brocolis en quatre bouchées. Je range le boumeran dans ma veste à côté de la plume tombée des ailes de Rafaniello.

Aux lavoirs en décembre, le vent joue au dur, il balaie la poussière par terre, astique la nuit dans le ciel, retire la chaleur des maisons. Le boumeran est déchaîné, il brûle l'air qui soutient son vol et mes bras n'arrivent pas à le contrôler, c'est une aile avec des plumes. Je remonte le ressort du tir deux cents fois par bras sans me lasser, je suis un lanceur et je m'efforce d'attendre. Il n'y a pas de lune, Maria regarde émerveillée le couvercle de la nuit au-dessus de Montedidio. Moi, je n'y vois que la mer. Je prends tous ces points brillants là-haut pour un banc d'anchois et, de ma voix éteinte, je refais le cri du marchand de poissons : «'O ppane d'o mare », le pain de la mer, quand il passe avec son panier sur la tête et sa balance en bandoulière. « Tais-toi, tu me fais penser au poisson qui pue », dit Maria qui ne le supporte pas et le laisserait bien tout entier dans la mer. Tous les deux, sur le toit le plus haut du quartier, nous sommes les sentinelles de la ville. Assis l'un près de l'autre, par terre, contre le parapet, à l'abri de la couverture, nous passons le temps, compères du vent qui se moque des fils vides

des étendoirs et des antennes de télévision. Il siffle au-dessus de nous, trouve notre abri et nous donne une bourrade, pour qu'on se serre encore plus fort.

Maria m'embrasse, sa tête s'appuie contre ma gorge, nous parlons en soufflant les mots, elle dit : « Tu grandis tous les jours et moi je m'accroche à toi pour grandir aussi vite que toi. Hier encore ce muscle n'était pas sur ta poitrine, hier encore tu n'étais pas fait pour moi comme aujourd'hui. » Je n'ai rien à dire sur hier, aujourd'hui est déjà passé et raboté avec les copeaux jaunes du mélèze et la forme du rabot dans la main, le bruit de souffle de la coupe qui écorche le millimètre du bois. Ce n'est qu'au bout de la journée que la main retrouve sa place autour du boumeran et sur l'épaule de Maria. Hier, c'est le morceau de rouleau déjà écrit et enroulé. Maria, c'est le même ammour celui des chansons ? « Non, dit-elle, celui-là c'est un ammour de mélancolie, un torchon de larmes et de soupirs, hou ! que c'est chiant. Notre ammour est une alliance, une force de combat. » Nos bavardages si proches s'enfuient dans le vent qui les chipe sur nos lèvres.

Dans l'obscurité, nous devinons sur la terrasse la silhouette d'une personne qui avance, battue par le vent, qui appelle Maria, Maria. C'est le propriétaire de la maison, elle se raidit contre moi, ne répond pas, je me glisse hors de la couverture, j'ai dans mes bras la force du boumeran, j'attaque le vieux de front, je le pousse en arrière tandis que lui appelle toujours Maria et il bute contre moi comme contre le vent, comme s'il ne voyait pas, il avance, il dit Maria, rebondit contre mes mains qui le repoussent par à-coups, sans rien dire, le rejetant seulement de toute la force qui monte en moi, et le boumeran sous ma veste le pousse aussi. Autour, le vent m'attaque par-derrière et m'envoie contre lui, je le bouscule, je le fais reculer dans un sanglot d'effort et lui, repoussé par le coup, tente à nouveau d'avancer, moi je suis déjà reparti et je le charge, courbé comme l'arc du boumeran. Je ne vois pas son visage, je regarde au niveau de sa veste, je vise sa poitrine. D'une dernière poussée, je le lance contre la porte de l'escalier qui s'ouvre dans son dos et alors il comprend qu'il n'y a rien à faire, il se plie en deux, sous la douleur des coups sur sa poitrine, à cause de Maria, je ne sais pas, il se plie, se met à descendre, à pleurer, je vois un vieux battu, foutu dehors et dedans et malgré tout je ne trouve aucune pitié. Je reviens près de Maria qui est debout, elle m'embrasse, gelée, m'enfonce un baiser de neige de force dans la bouche, dents contre dents, ses frissons se calment.

Le vieux est salement malade, il lui est arrivé la malédiction du chien qui lèche la lime. Je l'ai vu pleurer, Maria. « Moi aussi je l'ai vu pleurer : au-dessus de mes cuisses. » Nous ramassons la couverture, nous quittons le toit, nous refermons le vent derrière nous. Elle dit : « Tu l'as chassé pour toujours. » Hors du plein air, sa voix claironne dans la cage d'escalier. Le soir de la veillée, dit-elle, nous resterons ensemble chez toi et nous ferons notre fête sans les adultes, nous deux alliés et c'est tout. Ça va, dis-je, avec la paie de mast'Errico j'achète un chapon et des pommes de terre. « Moi je fais des biscuits et je m'habille pour le soir. » Elle ouvre sa porte avec ses clés, moi je descends, je passe devant l'appartement du propriétaire, mes mains me brûlent encore, je remarque un bouton qui est resté accroché à ceux de ma manche, je le laisse par terre devant sa porte.

Tout en comptant dans ses mains l'argent de la semaine, mast'Errico demande si maman va mieux, si elle revient pour Noël, je fais non avec la tête. « Alors pas d'anguille ? », non mast'Errico, c'est trop difficile, elle s'échappe, même après avoir été coupée. J'achète un chapon. Je lui demande s'il va à la pêche le lendemain, « Hé ! c'est au temps de décider. » Rafaniello me dit ensuite de ne jamais poser la question à un pêcheur, ils sont jaloux de leurs projets, ça porte malheur d'en parler. Ils racontent après ce qu'ils ont pêché. Rafaniello connaît le napolitain, il dit qu'il ressemble à sa langue. Pour lui, l'italien est comme une étoffe, un vêtement sur le corps nu du dialecte. Il dit aussi : « L'italien est une langue sans salive, le napolitain au contraire garde un crachat dans la bouche qui fait bien tenir les mots entre eux. Tenue avec la salive : pour une semelle, ça ne va pas, mais pour le dialecte c'est une bonne colle. Dans ma langue aussi on dit la même chose : zigheclèpt mit shpàiecz, collé avec la salive. » Je me le fais répéter pour pouvoir l'écrire sur le rouleau. Je lui demande ce qu'il fait le soir de la veillée. Il ne fait rien, il n'est pas chrétien, je l'invite à la maison, je prépare le chapon pour lui, sans parler de Maria. Il remercie, sourit de toutes les rides de son visage amaigri, au milieu des taches de rousseur il y a le vert frais de ses yeux. Un sourire lui vient en retour pour mon invitation et pour dire non.

Je ferme la boutique à la dernière heure, un peu avant les commerces, je vais chercher le chapon chez le boucher et les pommes de terre chez le marchand de quatre-saisons. « È scesa Napule'nterra », toute Naples est descendue, dit la blanchisseuse accoudée à la fenêtre de son *basso.* Elle a ramassé le linge étendu, la foule s'accrochait dedans, le salissait. « Simme assaie, nuie simme tropp'assaie », nous sommes bien trop nombreux, dit le professeur de musique De Rogatis devant la poissonnerie attendant son tour de se faire envelopper l'anguille vivante. « C'est moi qui dois le choisir, pas toi », rouspète une dame avec le marchand de poissons, « Signò, so' tutt' eguaglie, tutt'o stesso », elles sont toutes pareilles, madame, dit-il expéditif en tenant par la tête le poisson qui se tord. Une dame est passée en voiture dans la ruelle et a emporté avec elle don Gaetano le tailleur qui raccommodait un pantalon sur une chaise au bord du trottoir, sous le réverbère, pour économiser le courant électrique. Elle l'a emporté, lui et la chaise, le faisant rouler dans la rue. Hurlements, la dame s'est évanouie, tout le monde en train de l'aider elle et don Gaetano restait par terre à demi étourdi, il n'avait encore rien compris et disait : « Mais qu'est-ce que c'est, qu'est-ce qui s'est passé ? » Dans cette foule, on ne sent pas le froid, c'est mieux qu'un manteau. Devant la porte, donna Speranza la concierge me salue la première : « Bon Noël, mon garçon », encore meilleur pour vous donna Speranza, lui dis-je en lui faisant voir quel beau chapon j'ai acheté.

J'entre dans la maison, un froid pesant, muet, à se mettre au lit. Je prépare le chapon avec du sel et du poivre, je le mets au four avec des pommes de terre, c'est une prise de chaleur. Dans la cuisine m'arrive la radio d'une maison d'en face. Rue Santa Maria della Neve, une vieille mendiante est sortie dans la rue et a jeté toutes les pièces recueillies avec l'aumône, un attroupement s'est formé, la force publique est intervenue. Le sang de sant'Andrea Avellino s'est liquéfié. En dehors de Naples, en Amérique, un jeune homme a été fait président. Les Russes ont envoyé un chien dans une fusée, les Américains, eux, ont envoyé un singe. J'éteins la lumière, je regarde dehors. C'est Noël, des pièces éclairées, les familles se mettent à table. Sur la mienne est préparée la place du boumeran, celle du chapon, celle de Maria avec les biscuits. L'an passé, je ne rêvais pas de demander tout ça, c'est arrivé tout seul, sans un désir. Mon corps grandi, la bouche de Maria, les ailes de Rafaniello, quelle abondance est arrivée sans demander, en dehors de Noël. La lumière éteinte, des caresses de fantômes me passent sur la nuque, dans l'obscurité ils bougent mieux. Je profite du réverbère de la rue pour écrire, appuyé au rebord de la fenêtre, le bruit du crayon sur le papier fait le résumé du vacarme de la journée.

Quand elle frappe à la porte, je range le rouleau et j'allume la lumière, et entrent en même temps sa robe rouge, un parfum qu'elle a mis sur elle et la chaleur des biscuits sortis du four juste avant. « Stasera faccimm' ammore » ce soir nous faisons l'ammour, dit-elle, j'ai fait cuire le chapon avec des pommes de terre nouvelles, dis-je. Elle pointe le nez vers la cuisine et me pousse devant elle, de ce côté-là. La pièce est sombre. Maria m'embrasse par-derrière, elle me tient solidement comme ça, sans me laisser me retourner. Elle me met des baisers sur la nuque, là où on attrape les jeunes chiots, ça me chatouille, je me retiens. Puis elle m'en met sur la gorge, ils me piquent de l'intérieur, dans mon nez monte son parfum d'arbre de Noël, plus fort que celui du chapon qui est dans le four. La salive me vient à la bouche, je suis gêné d'être en train de déglutir alors qu'elle couvre mon corps de baisers et comme je n'ai pas faim, d'où me vient l'eau à la bouche ? Maria me tient par-derrière et fait aller ses mains sur mon côté face, elle me les passe du visage à la gorge, sur la poitrine et puis sur le bas où je ne me hasarde pas à regarder, en attendant je déglutis en espérant qu'elle ne s'en aperçoit pas. Elle respire fort, elle serre, donne libre cours à sa belle force sur mon corps, décharge la fraîcheur de ses mains aux endroits durcis des muscles qui sont tendus pour lui répondre.

Elle dit : « De la chair dure », elle me tient enlacé et frotte son visage contre mon dos, puis elle me retourne, me fait reculer vers le mur, je me cogne contre une poêle suspendue, elle rit, pousse, maintenant je peux l'embrasser moi aussi. Elle s'est lavé les cheveux, ils tombent sur mon visage, je suis sous le linge étendu de ses cheveux défaits, ses mains tiennent mon visage et y appliquent des baisers, dans ma bouche ouverte. Je ne sais pas quoi faire de mes bras, je cherche à me détacher un peu d'elle, je les pose sur sa poitrine, ses proéminences se frottent contre mes mains, alors je ne la pousse plus, je la masse, elle s'échauffe et finalement nous retirons nos vêtements, nous sommes nus sur le sol de la cuisine, j'ai juste le temps d'éteindre le four pour ne pas brûler le chapon. Maria fait, moi je suis. Elle me met comme elle veut sur elle et je me demande où est passé mon zizi, c'est elle qui l'a pris, elle le balance dans ses jambes, moi je ne peux plus le rattraper. Je me laisse porter par elle, elle me lève et me baisse, elle fait la vague, j'ouvre les yeux et je vois les siens fermés au-dessous de moi, sa bouche ouverte, ses cheveux noirs en désordre tout autour et la vague s'agite et moi j'essaie de rester en équilibre, quelle force de serrer et de tenir, c'est ça qui doit être beau, alors je sens un chargement à l'extrémité de mon corps, il me semble que le boumeran s'échappe de l'intérieur de mon zizi, j'ai un « oh ! » d'étonnement, elle s'agrippe encore plus fort à mon dos et souffle à coups secs dans mon oreille et moi je me déchaîne en mouvements qui ne sont pas à moi.

Maria s'arrête peu à peu, je l'ai fatiguée, je lui ai fait mal, qu'est-ce que j'en sais. Qu'avons-nous fait Marì ? « Ammour », dit-elle. C'est ça ? C'est ça que tu m'as appris ? « Non, dit-elle, je ne te l'apprends pas, moi je le commence, c'est toi qui fais le reste. » Je pense que faire l'ammour doit être mystérieux, que ça arrive tout seul. En attendant, mon zizi est rentré, il est à sa place. J'ai envie de lui demander en napolitain : « arò si' gghiuto ? », où es-tu allé ? mais je ne le dis pas. « Je me suis consolée de toutes les fois où ça me faisait horreur », dit Maria avec une petite voix, sans ce ton de gouape qui est lourd dans sa gorge et durcit ses mots. L'appétit lui est venu, nous nous détachons du sol, nous mettons nos vêtements, elle se recoiffe, je n'allume pas la lumière. La cuisine a un peu de chaleur de four et nous sommes encore tièdes d'ammour. Nous nous servons de chapon et de pommes de terre, assis l'un près de l'autre, nous mangeons avec les mains, nous donnant des coups de coude pour nous regarder et rire de nous deux dans le noir, nous éclairant avec la lumière de l'extérieur. Nous avons mis nos serviettes autour du cou, des rots nous échappent, le boumeran est à table avec nous. Elle me fourre les pommes de terre nouvelles dans la bouche, moi je fais semblant de m'étrangler, nous nettoyons le fond du plat avec la mie de pain.

« C'est bien d'être nous deux et basta », dit Maria la bouche pleine. Nos yeux se sont habitués à l'obscurité, une lumière de bougie qui vient de l'extérieur nous suffit, nous nous sommes mis une couverture sur le dos et nous mangeons les biscuits aux amandes, elle en a fait plein et nous les mangeons tous, il ne reste rien. « La prochaine fois je fais une tarte », dit-elle. Entre-temps, d'une maison voisine commence une chanson de joueurs de musette, une famille les a appelés pour faire un peu de musique, elle nous arrive distinctement, dans cette maison elle est sûrement si forte qu'il doit falloir se protéger les oreilles. Nous avons même la fanfare ce soir, je lui mets un bras sur l'épaule, nous tirons la couverture sur nos têtes, nous frottons nos bouches sales l'une contre l'autre, nous nous léchons comme des chats. Plus tard, nous nous mettons au lit, dans mon petit lit du débarras, nous nous endormons entrelacés, de telle façon que si l'un se réveille il doit réveiller l'autre pour se dégager. Nos corps alliés font des nœuds.

Don Ciccio le concierge parlait avec un locataire, il disait que, cette nuit, le propriétaire de la maison a perdu la tête, il a frappé une heure à la porte de Maria. Les voisins se sont réveillés et se sont disputés avec lui. Nous, au premier étage, nous n'avons rien entendu. Même si c'est Noël, je vais ouvrir la boutique, les meubles vernis de frais sèchent mieux à l'air. Rafaniello arrive après moi et se met à sa caisse. Les ailes remplissent sa veste, elles sont plus grosses que sa bosse, comment tenaient-elles enfermées là-dedans ? Personne ne s'aperçoit de rien, personne ne le mesure des yeux, et mast'Errico, qui à tous les coups voit le millimètre hors champ dans un angle droit, ne fera même pas attention si un jour Rafaniello vient sans sa bosse. Nous sommes seuls dans la boutique, la journée est belle et mast'Errico est sûrement allé à la pêche. Rafaniello me demande comment va le boumeran, je le sors de ma veste et je le lui donne, il fait semblant de le sentir et y dépose un baiser. Je vois, mais je ne dis rien. Le bois est devenu encore plus léger et Rafaniello aussi.

Je mets les meubles à l'air, donn'Assunta la blanchisseuse ouvre la porte de son *basso* et commence à étendre son linge, ce matin il n'y a pas beaucoup de monde, il y a du soleil et il sèche vite. Je lui dis bonjour, elle me demande pourquoi nous sommes ouverts pour Noël. Je réponds qu'il faut aussi sécher les meubles, donna Assù, pas seulement le linge. Elle a été à la messe de minuit, don Frettella a fait un beau discours, il a dit que les fusées qu'on lance dans l'espace ne vont nulle part, elles se perdent au milieu du ciel. En revanche, l'étoile du berger, elle, est descendue près de la terre pour annoncer la naissance du tout petit enfant : « Plus que ça, qu'est-ce que nous attendons des étoiles ? Il a bien parlé, mon garçon, à toute vitesse comme il fait lui, mais très bien et toi tu dois venir aux offices, tu ne dois pas grandir comme un vaurien. L'autre jeune de mast'Errico n'allait jamais à la messe et maintenant il est en tôle, à Poggioreale, tâche de comprendre mon garçon », dit donna Assunta, les mains gonflées par les engelures, rouges, brûlées, étendant sa lessive avec des pinces à linge sur toute une moitié de la ruelle. Je fais oui de la tête, elle cherche des bonnes paroles pour moi. Puis elle s'éloigne et moi je conjure le mauvais sort pour Poggioreale, « sciòsciò, sciòsciò », va-t'en, va-t'en, et j'ajoute « cananóre » que je connais depuis peu.

Je parle avec Rafaniello, aujourd'hui nous avons le temps, je lui demande si son pays ne lui manque pas. Son pays n'existe plus, il n'y est resté ni vivants ni morts, on les a fait disparaître tous ensemble : « Je ne sens pas le manque, dit-il, mais la présence. Dans mes pensées ou quand je chante, quand je répare un soulier, je sens la présence de mon pays. Il vient souvent me trouver, maintenant qu'il n'a plus une place à lui. Dans le cri du marchand d'eau qui monte avec son charreton à Montedidio pour vendre de l'eau sulfureuse dans des pots de terre cuite, de sa voix aussi me parviennent quelques syllabes de mon pays. » Il se tait un moment, ses petits clous dans la bouche et la tête penchée sur une semelle. Il voit que je suis resté à côté et il continue : « Quand tu es pris de nostalgie, ce n'est pas un manque, c'est une présence, c'est une visite, des personnes, des pays arrivent de loin et te tiennent un peu compagnie. » Alors don Rafaniè, les fois où il me vient la pensée d'un manque, je dois l'appeler présence ? « C'est ça, et à chaque manque tu souhaites la bienvenue, tu lui fais bon accueil. » Alors quand vous vous serez envolé, je ne dois pas sentir votre manque, moi ? « Non, dit-il, quand il t'arrive de penser à moi, moi je suis présent. » J'écris sur le rouleau les paroles de Rafaniello qui ont mis le manque sens dessus dessous et il est mieux comme ça maintenant. Lui, avec les pensées, il fait comme avec les chaussures, il les retourne sur sa caisse et les répare.

Papa est venu changer de chemise et il a trouvé Maria. Elle lui a dit qu'elle vient ranger la maison pour me donner un coup de main, lui l'a remerciée, il a pris le linge de rechange de maman et il est parti. Il est passé à la boutique pour me saluer, il n'a rien dit pour Maria, il avait le regard figé par le sommeil. Je ne demande pas, lui ne parle pas, son alliance avec elle s'est durcie et moi je suis dehors. Mon alliance avec Maria aussi est une clôture. Des choses changent, mais nous plus encore. Aucun autre visage n'est fané comme celui de mon père. D'aucune autre bosse ne pointent des ailes, aucun autre corps n'est aussi prêt à lancer un boumeran et c'est maintenant que Maria devait se débarrasser de la crasse de mains vieilles et se laisser prendre par les miennes lissées par la sciure sur la plus haute terrasse de Montedidio. Le filet, quand il approche du rivage, est moins lourd et se tire plus vite, c'est ce qui nous arrive. Même le rouleau tourne plus vite, tiré par le poids de la partie écrite.

J'accompagne Rafaniello sur le toit aux lavoirs, il sautille dans l'escalier, il ne sait pas marcher. Il s'accoude au parapet, il regarde au sud et au nord. Il ouvre le blanc de ses yeux, le cercle du vert qui fixe la route se détache, nous nous saluons rapidement, je lui demande à quoi il pense. Il est midi le jour de Noël, tout le monde est chez soi, nous seuls en plein ciel et l'air de la mer brille. Appuyé sur le rebord, il dit comme ça, sans me regarder : « Il y a un proverbe chez nous qui dit : "Ça c'est le ciel et ça c'est la terre" pour indiquer deux points opposés. Ici, tout en haut, ils sont voisins. » Bien sûr, don Rafaniè, du haut de Montedidio, d'un saut vous êtes déjà au ciel. « Il en faudra plusieurs, une forte poussée. Quand tu rêves de voler tu ne pèses rien, tu n'as pas à convaincre ta force de te maintenir en l'air. Mais quand les ailes et le corps arrivent, il faut faire vite pour prendre son envol, alors il faut une violence pour te détacher de terre, un saut comme un couteau qui doit arracher du sol d'un coup sec. Je suis un cordonnier, un sàndler, disait-on dans mon pays. Je répare les souliers, je m'y connais en pieds, je comprends où ils s'appuient, comment ils font pour tenir en équilibre, tout un corps dressé au-dessus d'eux, je comprends l'utilité de la cambrure, la dureté de la cheville, le ressort de l'astragale qui accompagne les sauts en longueur, en largeur, en hauteur. Je connais les douleurs du pied et le bonheur de se tenir sur toutes les surfaces, même sur une corde tendue. Un jour, j'ai fait une paire de chaussures en peau de daim pour un funambule. Ici, à Naples, j'ai appris que les pieds savent naviguer, j'ai réparé des souliers de marins qui doivent compenser le pendule de la mer. Les pieds m'ont porté jusqu'à ce Montedidio, eux ils m'ont sauvé. Chez nous on dit que ce sont les pieds, non pas les dents, qui donnent à manger aux loups. J'ai aussi une bosse qui me pousse vers le bas et alors que fait dans le ciel un homme si terrestre, en train de battre des ailes sous les étoiles ? »

J'écris ses paroles parce que je les entends répéter et non pas de mémoire. Je ferme mon bon œil et, tandis que je vais de travers avec mon crayon sur le rouleau, la voix de Rafaniello chuchote à nouveau, en même temps que les esprits m'effleurent. « C'est bon pour les anges, les ailes, pour un homme, elles sont lourdes. La prière doit suffire à un homme pour voler, elle monte au-dessus des nuages et des pluies, au-dessus des plafonds et des arbres. Notre manœuvre de vol, c'est la prière. Moi j'étais voûté, un clou rabattu, tourné vers la terre. Une autre volonté contre nature me retourne et me pousse vers le haut. Maintenant j'ai des ailes, mais pour voler il faut naître d'un œuf et non pas d'un ventre, couvé sur des branches, et non par terre. » Il se penche au-dessus du parapet, les ailes battent contre sa veste, un geste pour l'arrêter m'échappe. Touché, il se retourne, retrouve le sol, sourit de tout son visage, mais pas de ses yeux, qui sont ceux d'un oiseau, immobiles, lointains en pleine face. Sous ma veste, le boumeran est chaud, brave bout de bois.

Tandis que nous descendons, nous parvient un bruit d'assiettes qu'on casse dans l'appartement du propriétaire de la maison. Rafaniello s'arrête et, sans savoir qui habite là, il dit : « L'homme s'est enivré de son propre sang. » C'est la malédiction du chien, don Rafaniè ? Il dit oui et une secousse de froid passe dans mon dos. Je l'ai repoussé hors de la terrasse dans l'escalier, je l'ai frappé les mains ouvertes et les bras tendus. Je l'ai chassé et j'ai droit au froid dans le dos. Je descends l'escalier derrière les sauts de Rafaniello tandis que continue, régulier, le bruit des assiettes brisées. À la maison, Maria s'est mis un tablier, elle attend mon retour, elle prépare une sauce à l'oignon, elle a les yeux mouillés de larmes et elle rit. Don Ciccio le concierge frappe à la porte, nous le faisons entrer dans la cuisine, il s'assied avec nous et se met à parler : « Vos familles se déglinguent et vous vous mettez ensemble. Vous êtes encore des enfants mais vous avez raison, il faut s'entraider et chez nous, à Naples, on grandit vite. »

Don Ciccio parle doucement, les mains croisées sur la table et le béret enfoncé sur la tête même à l'intérieur. « Toi, Maria, je te connais depuis le berceau, je sais ce que tu as déjà passé », Maria le regarde fixement, elle souffle fort par le nez, signe de colère, « Marì, si chez toi personne n'est là pour te protéger et qu'en plus on te met dans le pétrin, nul ne peut t'aider. Il s'est passé la même chose dans ma famille, c'était pendant la guerre, on mangeait peu, ma petite sœur montait dans le même appartement de l'immeuble et rapportait du pain à la maison. Marì, ne me regarde pas de travers, ne te mets pas dans tous tes états si je te dis que je sais ce que tu as passé. Maintenant il y a ce garçon, un jeune, brave, travailleur, qui respecte ses aînés, il s'entend bien même avec ce cordonnier étranger, don Rafaniello 'o scartellato, le bossu, avec cette bosse sur le dos aussi grande que lui. Vous avez raison de vous mettre ensemble. Mais faites les choses raisonnablement, ne courez pas, vous ne pouvez pas vous marier, vivre dans la même maison. Commencez par vous fiancer, faites savoir vos intentions, sinon vous ferez scandale et vos parents devront intervenir. Même si maintenant ils ne se souviennent pas que vous existez, quand vous serez sur toutes les bouches, ils se mettront contre vous. Je vous parle comme ça parce que je vous aime bien et que vous avez raison. Marì, je suis content que tu ne descendes plus dans cet appartement-là. » Don Ciccio dit ces derniers mots avec un léger étranglement dans la gorge et il devient tout rouge.

Au printemps, j'étais encore un enfant et maintenant je suis en plein dans les choses sérieuses que je ne comprends même pas. Il a raison don Ciccio, chez nous on doit grandir au pas de course et moi j'obéis, je cours. Rafaniello, Maria, le boumeran, moi je me précipite derrière eux, entre-temps le rouleau de papier est presque tout écrit et je ne vais pas chez don Liborio pour en chercher un autre s'il lui en reste. Maria, assise en face de don Ciccio, ne dit rien, dans la casserole la sauce bout à petit feu. Elle me prend la main sous la table et la met sur la nappe avec la sienne, moi je la regarde, mais elle, elle regarde don Ciccio. « Vous me le dites maintenant, don Ciccio, m'o ddicite mò ? » Maria passe de l'italien au napolitain, qui lui sort avec la force d'une gifle, plus il est court, plus le napolitain prend le tranchant du rasoir, don Ciccio déglutit en silence. Maria rentre dans le fourreau de l'italien et dit : « Vous voulez nous faire plaisir, don Ciccio ? Une assiette de spaghettis », don Ciccio se lève, remercie, il doit descendre à la loge : « Faites les choses avec bon sens, je vous ai parlé comme un père, étant donné qu'ici il n'y en a plus. » Maria se tourne vers la cuisinière, je raccompagne don Ciccio à la porte, je lui serre la main et le remercie de son intérêt. « Du bon sens, mon garçon, du bon sens », dit-il et il rajuste son béret en descendant l'étage.

À la cuisine Maria dit que personne ne doit se mettre entre nous. Je lui parle des assiettes cassées, « on voit bien qu'il en a trop », Marì, il est devenu fou, celui-là, « Non, il est seulement en avance, les vieilleries se cassent le dernier jour de l'année, lui il casse avant, c'est le propriétaire, pas vrai ? Le propriétaire de tout l'immeuble : que lui coûtent quelques assiettes ? » Elle verse la sauce sur les pâtes égouttées, nous mangeons assis tout près l'un de l'autre, nos jambes se touchent, moi je comprends que c'est elle qui a raison, personne ne doit se mettre entre nous.

À la boutique, Rafaniello finit la dernière paire de souliers, il ne reste pas assis sans bouger à sa caisse, il lève la tête, la tourne à travers la pièce, les yeux en éveil, il est devenu encore un peu plus un oiseau, resté en arrière pour la migration. Il ne descendra plus à la boutique, la nuit du trente et un nous nous retrouverons audessus, aux lavoirs, nous sommes d'accord. Il me demande comment va le boumeran, il est toujours avec moi, don Rafaniè, je le tiens prêt à voler. Le déclic de son cou se dirige vers la porte, je me retourne pour voir entrer mast'Errico. « 'A ricciola guagliò, stamattina aggio piscato 'na ricciola davanti Santa Lucia, une liche, mon garçon, ce matin j'ai pêché une liche devant Santa Lucia. Il faisait encore noir, je tenais ma ligne souple à la traîne et elle m'a attrapé, moi, un coup qui m'a entaillé la main » et il fait voir la marque rouge du sang. « J'ai lâché pour ne pas casser l'hameçon qui était tout petit, je l'ai laissée s'ébattre, elle s'est fatiguée et entre-temps peu à peu je la tirais plus près et quand elle a été contre le bateau, je l'ai hissée avec le harpon, trois kilos, trois kilos, mon garçon, la première lueur du jour se levait sur la mer et 'a ricciola era cchiù lucente 'ell'alba, et la liche était plus brillante que l'aube. Magno pesce pe' na semmana, je mange du poisson pendant une semaine, je laisse les sargues en paix jusqu'à l'année prochaine. Ce matin je me prépare la tête, 'na capa tanta, une tête grosse comme ça » et il montre sa taille, entre ses deux paumes il laisse la place d'un ballon de foot.

Je lui fais mes compliments, vous êtes un spécialiste mast'Erri, un ébéniste pêcheur. Il aime bien que je l'appelle ébéniste, mais il n'en veut pas : « So' sulo 'nu falegname che va a pisca', nun ce sta niente 'e speciale. Je suis seulement un menuisier qui va à la pêche, il n'y a rien de spécial. Tu veux que je te parle de spécialité ? Papele 'o marenaro, Papele le marin, celui qui passe avec son panier de poissons qu'il va prendre frais tous les matins : celui-là, il y eut un temps, pendant la guerre, où il sortait en mer et revenait avec des poulets. Tu as bien compris, il pêchait des "pullaste", des poulets. Il montait chez ses clients avec son panier plein de poulets. "Papè avite cagnato mestiere", Papè vous avez changé de métier lui faisaient les clients. "No' signurì, io esco sempre pe' mmare tutt'e iuorne", non messieurs, moi je sors en mer tous les jours. En fait, les Américains étaient arrivés après nos journées de bataille et ils avaient interdit la pêche, car le golfe était dangereux à cause des mines allemandes. Papele sortait quand même avec sa barque, il allait devant les bateaux américains et ils lui lançaient des poulets en mer qu'ils conservaient dans la glace. Accussì Papele se mettete a fa' 'o pescatore 'e pullaste, c'est ainsi que Papele se mit à faire le pêcheur de poulets. »

Mast'Errico est gai, il salue Rafaniello avec retard, il dit qu'il lui envoie une tranche de liche pour goûter, il regarde si l'armoire est sèche, c'est parfait, nous pouvons visser les ferrures, poignées, serrures, charnières. Avec la fraise, il prépare le logement des serrures, moi j'approche le morceau de la machine, mon bon œil est attentif, le miro, je le garde à moitié fermé, au repos. Nous livrons l'armoire après le Jour de l'An. Tout en travaillant, je parle de don Ciccio, je lui demande si lui aussi est un brave homme. « Brave, courageux, pendant la guerre c'était un jeune garçon qui aidait en cachette ceux de la résistance. Il leur rendait des services pendant les bombardements, quand il ne passait personne dans les rues, je ne l'ai jamais vu descendre dans un abri. » Je lui demande aussi s'il se souvient d'une sœur de don Ciccio. « Que sais-tu toi, petit morveux, de la sœur de don Ciccio ? » Pas grand-chose, mast'Errì, je sais ce qu'il m'a dit lui, qu'elle était domestique. « Elle était domestique chez le propriétaire de la maison qui était marié et qui avait la main baladeuse. C'était'na piccerella, petit morveux, une belle petite. » Il allume un demi-cigare et ça veut dire qu'il ne parlera plus.

À la fin de la journée, je ferme la boutique, j'accompagne Rafaniello chez lui, je le prends par le bras, il marche mal. Don Rafaniè, en quelques mois nous nous sommes mis à courir, vous avec la bosse, moi avec le travail, le corps grandi, la voix qui est devenue sourde. Je lui demande où nous sommes en train de courir tous les deux, et lui, de sa petite voix tranquille me répond : « Chez nous, il existe une histoire drôle qui parle d'un cavalier qui ne sait pas faire de cheval et qui passe au galop à travers champs. Un paysan lui demande où il va et l'autre lui crie dans sa course : "Demandez au cheval." » J'éclate de rire, je n'ai pas compris, je ris. Il est léger Rafaniello, on peut le soulever facilement, ses os doivent s'être vidés, il y a de l'air sous sa veste, je vois la courbe des ailes pliées, je passe une main dessus pour mieux les couvrir. À Naples, les gens appellent la bosse « scartiello » et ils pensent que ça porte chance de la toucher. Combien de fois ont-ils posé leur main dessus sans demander la permission ! Lui, il laisse faire : « Dans mon pays, on m'appelait gorbùn et personne ne m'effleurait, ici j'aime la familiarité des gens avec ma bosse. Je ne crois pas avoir porté chance, toutes ces mains qui m'ont touché m'ont servi plutôt à moi, pour réveiller mes ailes. »

Don Rafaniè, il faudrait bien qu'on touche ma gorge aussi pour ressusciter ma voix, celle d'avant est morte et la nouvelle reste enfermée. Il sourit, me dit que la voix me viendra d'un seul coup et qu'elle sera très forte. Il me raconte : « Dans ma descente en Italie après la guerre, je marche sur une route de campagne et j'entends derrière moi un terrible hurlement, un cri déchirant, une imploration déchaînée, à faire saigner les oreilles. Je pose mes bagages par terre, je me retourne et je vois pour la première fois un âne, attelé à une charrette, et un homme qui le frappe. La bête allongeait le cou, les cordes tendues et le mors dans la bouche, elle lançait le plus loin possible sa protestation de douleur. Si je pouvais savoir prier ainsi. Dans l'Écriture sainte on trouve beaucoup de passages sur l'âne, une bête estimée, utile. Son cri, en revanche, est inutile, gigantesque, il ne regarde que Dieu et lui, l'homme est exclu. C'était le mois de mai, j'avais les oreilles pleines de guerre, des pires bruits. Le braiment attira des réponses d'autres endroits des champs tout autour et dans ma bosse me sont passées des décharges de frissons et je me retrouve brusquement avec les yeux mouillés. Pendant toute la guerre, ils ont été secs et, sur une route de campagne italienne, ils se sont réveillés pour répondre à l'appel des ânes. Quand ta voix sortira, elle aura la force de celle de l'âne. » Je vous remercie don Rafaniè, c'est une bénédiction, avec ma voix sourde de maintenant j'ai l'impression d'être un conspirateur. Vous savez, don Rafaniè, que l'équipe de foot de Naples a un âne sur son drapeau, ce doit être parce que la foule du stade crie aussi fort qu'un bourricot, quand un but est marqué. Moi, je l'ai entendu le cri du stade, une fois en passant devant, et les larmes me sont venues à moi aussi, sans m'en apercevoir. Ce cri avait une force exagérée, il était trop important pour un but, trop puissant. Entretemps, en parlant, nous sommes arrivés devant sa pièce, j'allume la bougie et nous nous saluons d'un oui de la tête.

Je monte aux lavoirs pour m'entraîner, il y a peu de lune, une queue de sargue au-dessus du Vésuve, elle est décroissante. Elle est trop basse pour servir de cible, je vise une étoile plus élevée, je ferme mon bon œil, je lance à vide mon bras en comptant mentalement jusqu'à deux cents fois l'exercice du lancer. Le boumeran est recourbé, l'épaule fait une courbe et le poignet aussi en fait une et tous ensemble combinés ils auront une poussée droite. D'un mélange de muscles et de nerfs doit sortir une claque de tir, qui serrera terre et ciel dans un angle aigu, le boumeran est chaud, affûté par tous les lancers retenus, il attend l'ouverture des doigts pour monter dans le noir. L'œil miro voit le ciel tout proche, que manque-t-il pour voler ? Je pense à Rafaniello et je vois déjà le ciel qui baisse le pont-levis et qui les laisse passer, le boumeran et lui. Chaque soir, il descend un peu plus et puis il suffira d'un saut de la terrasse pour monter dessus. C'est le ciel lui-même qui fera battre les ailes, vous ne devez faire aucun effort don Rafaniè, seulement les garder ouvertes. Avec l'œil miro, on voit bien les choses d'après.

Malgré le froid, je transpire tandis que mes muscles frappent dans l'air et que de rapides caresses essuient mon front. Les esprits aiment jouer avec le sel des corps, ils le lèchent, goûtent le jus de la vie qui s'agite, qui bat. Mais quand sort le sang, ils ne veulent pas le voir, ils courent l'arrêter, appuyer sur la blessure. Ils font sécher mes coupures en un instant. L'œil miro regarde fixement dans le ciel la place de l'étoile à la verticale de Castel dell'Ovo pour la garder en mémoire, si jamais il la rencontre la nuit du trente et un.

Maria veut aller au cinéma, au Lux on passe un film avec Toto. Toto est dans le désert, il crie : « Ce terrible soleil africain » et nous rions. Pourquoi rions-nous ? Parce que nous sommes au cinéma assis au fond de la salle, parce que nous avons attendu debout que deux places se libèrent, parce que c'est la première fois que nous allons quelque part ensemble, parce que l'obscurité nous fait des chatouilles, parce que les gens rient, alors nous rions nous aussi à la voix de Toto qui, en sortant, lui déforme la bouche et il doit remettre son menton en place après son cri. Maria rit encore plus que les autres. Quand ils s'arrêtent, elle continue et son rire fait rire les autres. Dans le film, il ne se passe rien de marrant, mais les autres rient des rires de Maria qui éclatent comme une mitrailleuse, à coups brefs, hachés. Un monsieur assis se met à rire avec Maria, on dirait qu'il s'étrangle, il vide son rire dans une traînée sifflante, à en tomber malade, « chisto mo' more », il va mourir celui-là, dit une dame derrière nous, pas du tout, il ne s'arrête pas, il se pisse dessus et comme il reprend son souffle,

Maria, en traître, de dos, l'attaque avec sa rafale et lui, il recommence avec un « hi, hi », un hennissement de douleur et alors la salle repart à la charge, en éclats de rire et le film n'y est plus pour grand-chose.

À la sortie, tout le monde est content, même s'il pleut et qu'on n'a pas pensé à prendre de parapluie. Un vieux rit en repensant aux fous rires, une femme dit : « Accussì adda essere 'o mbruoglio int'o lenzulo, c'adda fa' spassa' », c'est comme ça que doit être l'imbroglio dans le drap, il doit amuser. L'imbroglio dans le drap c'est le film, le cinématographe. Ils l'appellent ainsi parce que c'est un mot trop étrange, ils n'arrivent pas à bien le dire et ils ont honte de patauger, « cimétanocraphe ».'O mbruoglio int'o lenzulo est plus expéditif et dit bien qu'il s'agit d'un imbroglio étalé sur une toile. Maria me prend le bras et nous partons sous la pluie, tout frais de rires. À la maison, dans le petit lit du débarras nous sommes à l'étroit, c'est même inconfortable. Maria dit : « C'est mieux ici, on se tient chaud. » Elle veut dire que nous ne profitons pas du grand lit, nous, nous trouvons notre place l'un dans l'autre et nous nous endormons enlacés après une bonne quantité de baisers. J'apprends à faire les lèvres molles, avant je les gardais dures comme des cals.

Maria n'est pas gênée par ma voix enfumée, elle dit qu'elle l'aime bien, qu'elle veut l'entendre pendant que nous nous embrassons. Demande-moi quelque chose et moi je te réponds, lui dis-je. Elle rit et dit : « Comment je m'appelle ? », moi je réponds, elle insiste : « Répète mon nom, répète mon nom » et moi je l'embrasse, je l'appelle par son nom et alors l'ammour arrive à nouveau et son corps est secoué de coups et de sanglots, tant elle aime que je l'appelle par son nom. Maria doit être un nom magique, elle passe tout de suite des baisers au sommeil, le temps que mon zizi redevienne comme avant. Je ne lui dis plus : « Arò si' gghiuto », maintenant je le sais. Alors que je finis de dire encore un peu son nom, elle aspire par le nez, déglutit et ronfle tout doucement.

Je me réveille, elle, elle est déjà à la cuisine, elle a fait bouillir l'eau et la verse sur le filtre à café. Chez elle, on se sert de la cafetière moka qui fait sortir le café par en haut. Moi je l'ai toujours vu descendre, le café, dis-je, s'il monte, il arrive fatigué. Maria rit, tu as de l'esprit, dit-elle. Ce n'était vraiment qu'une pensée affectueuse pour le café que je connais depuis peu et que j'aime bien, noir et sans sucre. J'enfile ma veste de travail avec le boumeran et je vais relever le rideau métallique, je laisse de l'argent sur la table pour acheter ce qui manque à la cuisine. Maman, me dis-je en descendant l'escalier, dépêche-toi de rentrer, j'ai des questions à te poser sur les femmes. Il fait froid, un frisson de tramontane dans l'escalier me fait fermer les yeux et je comprends que la réponse est non. Mon père arrive à la boutique, mast'Errico va à sa rencontre, papa pleure, moi je suis immobile le balai à la main, je le serre fort, je garde mon bon œil fermé comme ça je vois flou et je ne distingue pas le visage de mon père qui a honte de ses larmes devant moi. Mast'Errico m'enlève le balai des mains, il me l'enlève de force, nous sortons, il ferme la boutique pour cause de deuil, il nous accompagne à l'hôpital, maman n'y est plus, on l'a enfermée, moi je garde les bras serrés sur ma poitrine et je prends de la chaleur du boumeran, et il y a aussi une odeur de *sfogliatelle,* d'un lit voisin un homme ouvre un paquet de gâteaux pour un malade et nous en offre à nous aussi, alors les larmes éclatent, maintenant je sais que ça se dit comme ça en italien, parce qu'elles sortent et se détachent des yeux avec une explosion de l'intérieur, un coup qui les pousse.

Papa a cessé de pleurer, il éteint tout son visage, il n'y a pas un seul nerf éveillé, il ne fait pas attention aux gens qui arrivent, qui lui parlent et lui serrent la main à lui et à moi aussi. Moi, je garde mon bon œil mi-clos et je me laisse faire par la procession des gens de Montedidio. Puis Maria arrive, elle va droit vers mon père, le prend par le bras, l'accompagne dehors, et lui va tranquillement prendre un peu d'air avec elle, et moi je reste pour monter la garde devant le corps de maman enfermée qui n'a pas voulu se laisser voir, pas même par moi. Les parents de Maria sont passés chez eux prendre des valises, ils ne l'ont pas trouvée, ils lui ont laissé de l'argent et ont prié don Ciccio de la garder un peu avec lui, eux ils doivent faire un voyage urgent, ils reviendront vite. « Ils sont dans le pétrin », dit Maria, qui a appris pour maman par don Ciccio. Elle a fait le marché, elle est venue à la maison nous porter quelque chose de chaud à manger. Nous allons à pied, mon père entre nous deux ne lève pas les yeux de ses souliers, nous le guidons dans le défilé de trottoirs et de gens aussi serrés que des olives dans un sachet. Il a maigri, il se laisse porter par nous et par le vent qui nous envoie ses gifles en pleine figure et nous la durcit.

Maria fait une omelette de macaronis, moi je mets la table. Papa s'assied tout raide sur le bord d'une chaise. Ses mains sont posées sur ses genoux, comme ça elles restent tranquilles, en se frottant là-dessus. Il est un peu penché sur ses jambes, le dos en avant, des larmes se détachent de son nez et vont tout droit par terre. Maria verse l'omelette directement de la poêle dans l'assiette, elle dit : « C'est prêt », elle se met à table. Papa approche sa chaise, il mange toute sa part en silence avec appétit. Maria voit son assiette vide, sans demander elle la lui remplit, lui la finit, il mâche et peu à peu les muscles de son visage, ses nerfs, ses yeux, son front, se remettent en mouvement. Maria dit que les commerçants augmentent les prix à Noël et profitent des gens qui, une fois par an, veulent faire bonne impression : « Le marché, il faut le faire le quinze août. » Papa s'occupe seulement de son assiette, il la nettoie avec du pain, puis se lève, dit qu'il va à la coopérative des dockers pour reprendre son travail, il avait pris des jours de vacances. Il me dit d'acheter une fiasque de vin, il me laisse trois cents lires.

Maria débarrasse, lave, range. Maria fait les choses tranquillement, elle montre qu'elle s'y connaît en matière de cuisine et que même si la vie est triste il faut s'occuper, au moins il n'y a pas de saleté qui est une humiliation de plus, mais au contraire on vit en ordre, même avec les larmes en suspens.

L'après-midi est libre, je propose à Maria d'aller ensemble à pied à Mergellina vers la jetée qui s'étend sur la mer avec un phare et des blocs de pierre tout au bout, où l'on peut être en plein air mais sans la ville autour. Je veux aller là parce que les maisons, les rues s'arrêtent d'un coup et que soudain Naples n'est plus là. L'étendue de la mer, son remue-ménage la dissimulent, il suffit de marcher sur la jetée. Maria met son manteau, son écharpe et elle est déjà devant la porte, sa rapidité est une caresse dans mes os. Sur la promenade du bord de mer, je lui achète un *tarallo* au lard et au poivre, le vent emporte notre chaleur, nous la récupérons en marchant vite, peu de gens se risquent jusque-là, des soldats américains avec leurs chaussures en caoutchouc passent en courant, le porte-avions est le seul bateau dans le golfe qui ne bouge pas sur la mer blanche déchirée sur la crête des vagues. Maria regarde les soldats américains, elle dit : « C'est une belle race, mais ils courent, ils courent pour rien, sans raison. Nous, avant de nous mettre à courir, il faut qu'un tremblement de terre nous flanque hors de la maison. » Marì, courons, nous aussi. « Noon », fait-elle et d'un bras elle me remet à son pas.

Sur le môle de Mergellina sifflent les câbles des bateaux à voiles, les chiens ont peur, ils se cachent sous les bateaux de pêche au sec. Tous les deux seuls, nous allons sur la jetée au milieu de la mer sombre. Les blocs de la digue jettent de l'eau en l'air, la vague tape, s'étire en pointe et éclate à pleins seaux. Dans ma veste, le boumeran frémit sous l'air puissant, il me charge de son courant, je voudrais le lancer contre la mer, la tramontane, le porte-avions, contre ce qui bouge alors que maman non, elle ne peut plus bouger. Restez tranquilles, restez tous cloués une minute : si seulement j'avais une étincelle de voix dans la gorge pour me faire entendre, pour que le vent la répande au-dessus de la ville et que la ville s'arrête une minute. Maria me tient le bras solidement, je ne me dégage pas d'elle, je ne défais pas le nœud de ma main sur le manche du boumeran. Au bout du môle, le phare est le lieu le plus éloigné de la ville et, vue de là, étendue en quart de lune, elle semble immobile. Elle m'écoute, elle reste tranquille une minute. Des lumières scintillent sur l'île d'en face, dans les villages côtiers, derrière, Naples est couverte par le vent et on ne l'entend pas. J'avale de l'air salé pour cause de deuil, Maria dit : « Rentrons. »

Papa rentre pour dîner, il trouve le vin et avant de se verser à boire il explique, il cherche l'italien : « Tant qu'elle a été vivante, j'ai été le gardien de sa vie, je l'ai chipée à la mort jour et nuit. » Il boit une gorgée et dit sèchement : « Mo' nun pozzo fa' niente cchiù », maintenant je ne peux plus rien faire. Maria fait oui de la tête, à moi il me suffit qu'il cherche la paix, il a accompagné maman jusqu'au bout de ses respirations, il n'a pas voulu aller plus loin, même pas au cimetière. Il se verse un autre verre, il demande si nous buvons nous aussi, Maria dit oui, moi non. Elle en boit une larme pour goûter, papa lui dit : « Chillo nun è 'nu surso, è 'nu respiro, tu accussì sfotti 'o vino », ça n'est pas une gorgée, c'est un souffle, toi comme ça tu te moques du vin. Maria y remédie d'un coup de poignet. Nous mangeons doucement, on entend les bruits des autres maisons, papa boit, il se passe une main sur le visage, se frotte le front, « Merci pour le dîner », il se lève, nous dit bonne nuit. Au lit nous nous tenons l'un près de l'autre, pas enlacés. Elle dit que son sang coule, mais ce n'est pas une blessure, c'est un rechange propre aux femmes. Elle a bu du vin pour se remettre en sang. Avant de dormir, elle me dit sa phrase précieuse : « Tu comptes pour moi. » Comme d'habitude, je ne sais que dire en retour.

Mast'Errico et Rafaniello se sont dit au revoir, je n'étais pas présent. C'est le dernier jour de l'année, demain c'est fête, alors aujourd'hui on travaille dur. Nous passons au rabot tout le bois brut des prochains travaux, nous faisons du bruit, mais aujourd'hui la rue ne fait pas attention à nous. Personne ne se montre à la boutique pour dire à mast'Errico de faire plus doucement, plus tard, parce que quelqu'un dans la maison n'a pas pu dormir cette nuit, « nun ha potuto azzecca' uocchio », il n'a pas pu coller l'œil. Dans les ruelles, on fait marcher les machines en cherchant les heures qui ne dérangent pas. Aujourd'hui, ils sont occupés par la fête et peu importe le fracas des lames qui emportent les millimètres des planches et les pulvérisent en sciure. Mast'Errico vérifie des angles droits, répare, sauve, répartit le matériau travaillé d'après le sens des veines. Il rouspète contre ceux qui ont coupé le bois, qui ne l'ont pas fait suivant la lune et maintenant le bois est faible et se vide de sa résine. Mast'Errico me dit que Rafaniello s'en va, il a trouvé un billet de bateau pour la Terre sainte, parce qu'il a une dévotion pour Jérusalem. On ne répare plus de souliers à Montedidio, dit-il, maintenant on les achète neufs ou bien le maire les offre pour les élections, un soulier avant le vote et l'autre après. J'oublie tout, je pense à mon travail, je me couvre de sciure, le boumeran bat sur ma poitrine contre mon cœur. On n'arrête même pas pour déjeuner, nous terminons à quatre heures et il fait déjà nuit. Nous échangeons nos vœux, mast'Errico me donne une paie double. « Tu l'as bien gagnée, mon garçon, c'est sûr. » Je lui demande s'il tire des fusées à minuit, non, il dit qu'il se met au balcon, fume un cigare et regarde les tirs des autres, il aime les feux de Bengale : « Don Ciccio appiccia 'e meglio biangale 'e Montedidio » Don Ciccio allume les plus beaux feux de Bengale de tout Montedidio.

Je chasse la sciure de mes vêtements, je me secoue comme un tapis, le boumeran cogne contre mes côtes et il craque en faisant le bruit des ailes sous la veste de Rafaniello. Je me souviens de lui, cette nuit j'accompagne son vol avec le boumeran. À la maison, j'écris tout au bout du rouleau, quelques tours encore et plus rien, je dois le tenir solidement, car il est tiré du côté qui est écrit. Je taille la pointe de mon crayon, j'attends Maria qui est sortie. Elle revient essoufflée. Elle est montée chez elle pour faire le ménage et changer de linge. Le propriétaire l'a attendue à la sortie et s'est jeté sur elle dans l'escalier, elle, elle n'a pas crié, elle lui a donné un coup de pied dans la cheville et s'est enfuie : « Si tu étais là, tu le jetais dans l'escalier », dit-elle. Elle est agitée, elle a eu peur, l'autre la serrait fort avec ses doigts et son haleine sentait mauvais, il a perdu la tête, mais elle, elle s'est défendue. Mes pensées se font si tristes que mes nerfs chargés comme un boumeran sont pris de rage, ils veulent lancer des coups et des claques à tous tant qu'ils sont. Maria, « nun succere n'ata vota » ça n'arrivera pas une autre fois, ce sont des mots bien noirs qui me viennent en napolitain, je sors ce que j'ai de plus mauvais, c'est la première fois et c'est pour ça que je ne comprends pas quelle tête j'ai, car Maria la prend entre ses mains et dit : « Ne fais pas cette tête-là, ce n'est rien, c'est déjà passé, ce n'était qu'une connerie, je ne devais même pas t'en parler », elle cherche mes yeux et moi je ne sais pas où je les ai posés car elle me dit : « Regarde-moi, regarde-moi en face » et elle le secoue, mon visage, jusqu'à ce que je me détache de mes sombres pensées, je la regarde et je prends ses poignets avec lesquels je me donne deux gifles sur la figure en serrant les dents, alors elle se met à avoir peur et m'embrasse et à présent oui, à présent tout est fini.

Ça n'arrivera pas une autre fois, lui dis-je sans napolitain, calmement pour la tranquilliser. Aujourd'hui, je sais une chose sur moi, une chose triste qui se mêle à la chance d'être avec Maria. Il n'y a pas que du bon dans la croissance du corps, la découverte des choses nouvelles que j'apprends à faire. Le mauvais grandit aussi en même temps. En même temps que moi, que la force de mon bras qui libère le boumeran, grandit une force amère, capable d'attaquer. Un étang de solfatare s'est mis à bouillir dans ma tête et m'a rendu triste d'intention. C'est comme ça que sont les hommes brusquement ? La fausse manœuvre d'un autre décloue un couvercle et le sang mauvais jaillit. Mon père rentre, Maria lui demande s'il veut manger une pizza ce soir, nous allons la prendre chez Gigino 'o fetente, Gigino le dégoûtant, qui fait la meilleure pizza du quartier. Il dit oui tout de suite, une margherita. Pour nous aussi, et nous mettons la nappe sur le marbre de la cuisine, comme ça en rentrant nous pouvons la manger encore chaude. Il est fatigué, aujourd'hui il a travaillé au fond de la soute sans relève, une chose que les vieux ouvriers ne font jamais. Il s'assied, le journal sur les genoux, l'ampoule électrique est de vingt bougies, il doit forcer, il plisse les yeux.

Puis nous sortons en saluant, il ne répond pas, il lit et remue les lèvres pour suivre les mots. Maria et moi savons lire mieux que lui et ça, c'est injuste. Nous, les derniers arrivés, simplement parce que nous avons eu la facilité d'étudier, nous en savons plus qu'un homme adulte qui s'est fait valoir à la force de ses bras toute sa vie, qui ne nous a jamais privés du nécessaire et n'a jamais manqué de respect à sa femme. Je ferme la porte de la maison en sortant derrière Maria et je réalise que je suis fier d'un père qui pour lire doit battre des lèvres et rafler un peu d'instruction à un âge avancé. Marì, nous devons acheter la meilleure pizza de Naples. « Pour moins que ça, nous ne sortons même pas, au minimum la meilleure de Naples, puis nous voyons si c'est aussi la meilleure du monde. » Maria, lui dis-je, tu comptes pour moi. « Ça, c'est moi qui le dis, toi, tu dis autre chose », répond-elle, et elle me laisse tout bête encore une fois.

Gigino le dégoûtant est en train de faire des pizzas pour tout Naples, il y a du monde devant le four. Il fait froid et lui, bras nus, travaille la pâte à coups de claques et de pirouettes tout en pivotant distraitement vers le feu où, au vol, avec la pelle, il retourne dix pizzas en deux secondes. Pour appeler les gens, il fait son cri : « Song 'e ppizze 'e sott 'o Vesuvio, nc'è scurruta 'a lava 'e ll'uoglio », pour dire qu'il met autant d'huile qu'il coule de lave du Vésuve. Comme ça les gens attendent plus volontiers et se mettent en appétit avec les exagérations de don Gigino. On l'appelle 'o fetente, le dégoûtant, parce qu'il porte la barbe et qu'on trouve parfois un poil noir dans la pizza. Il porte la barbe parce qu'il a le visage balafré. Je me mets de côté sur le trottoir, Maria va devant le comptoir et se fait entendre bien fort : « Don Gigì, trois de vos margherita, que nous devons nous consoler », lui crie-t-elle au milieu de la foule, affichant un air canaille de chanteuse de cabaret. « Nenne', i' m'arricreo quanno te veco », petite, moi, je me console quand je te vois, répond don Gigino au comptoir, noir de barbe, d'yeux et de cheveux et blanc de farine, plus qu'un anchois. Et il nous expédie avant les autres, il nous remet les trois margherita l'une sur l'autre avec du papier huilé au milieu et il crie pour se faire entendre de tout le monde : « Facite passa' annanze 'a cchiù bella guagliona 'e Montedidio », laissez passer la plus belle fille de Montedidio, et Maria se fraie un passage et les prend des mains de don Gigino qui lui dit aussi qu'elle peut payer une autre fois : « Cheste m'e ppave ll'anno che vene », tu me les paieras l'année prochaine. Maria, droite et toute fière d'un tel honneur, vient vers moi, passe son bras sous le mien et nous montons à Montedidio, les yeux des gens braqués sur nous. Comme c'est important d'être deux, homme et femme, dans cette ville. Celui qui est seul est moins qu'un.

Dans la rue, on tire déjà des coups, les gens rentrent en vitesse chez eux pour s'enfermer dans la fête. Les pizzas emballées fument dans les mains de Maria, ses pas font un bruit de bois, je m'aperçois qu'elle porte des chaussures à talons. Le fait est que moi je vois Maria plus grande et que je ne regarde pas ses chaussures, je crois aussitôt qu'elle a grandi rapidement d'un jour sur l'autre. Maintenant je vois ses talons, mais je sais bien qu'elle est plus grande, même sans. Nous sommes dans une poussée de rapidité, nous nous trouvons en haut sur le toit de Montedidio où nous regardons les étoiles face à face. Don Gigino aussi s'en est aperçu et il nous a fait passer avant tous ses clients, parce qu'il nous voit courir, grandir et courir. Maria est plus grande, elle est passée d'un bond d'une silhouette de fillette à celle de femme pour ceux qui la regardent. Je ne dis rien, ce qu'elle fait est bien fait.

À la maison, papa s'est endormi le journal sur les genoux. Je le lui enlève, il se réveille, regarde autour de lui ahuri, se passe une main sur le visage, pour redescendre : « Je croyais que j'étais près du lit de ta mère », Maria ne lui donne pas le temps de s'arrêter là-dessus : « C'est prêt, à table », elle crie et fait du bruit avec les assiettes. Je retire ma veste, je pose le boumeran sur la table. « Tu l'as toujours ? Alors il t'a plu ? Je l'avais oublié » et pendant qu'il coupe le plus savoureux morceau de toutes les pizzas, d'abord de Naples et puis du monde, il me demande s'il vole. « Comme la pizza dans la main de don Gigino », lui répond Maria, mais lui, il mâche et déjà il oublie. Je lui raconte que don Gigino nous a servis avant tous ceux qui attendaient. « Avec nous aussi il faisait la même chose, don Gigino aime voir les couples mariés », dit-il en se souvenant, sans intention. Il boit un verre de vin, en verse un à Maria, dit qu'il ne reste pas éveillé pour minuit. Il casse une noix en l'écrasant dans sa main, il la mâche avec plaisir. Maman aimait bien les amandes, il n'y en a pas, je n'en ai pas acheté. À table, il faut un peu de deuil.

À son travail, il remplace un collègue demain pour qu'il puisse fêter le jour de l'an en famille. Lui, il veut travailler, se fatiguer et il dit que ça lui fait très plaisir de trouver la maison habitée et quelque chose de chaud. Il se lève, dit bonne nuit, puis, devant la porte de la cuisine, il se retourne et dit : « Merci pour la pizza », Maria lui fait un sourire et moi, ma vue se brouille, j'avale ma salive, je me retourne, je prends le boumeran, je le serre, comme ça je me calme. Ils vont trop vite, je n'arrive pas à courir derrière eux, ils changent d'une heure à l'autre, fallait-il qu'il dise aussi « merci » pour si peu alors que sa vie d'avant est finie et que son cœur est tout entier dans les années passées et jetées toutes à la fois. Je me suis mis à débarrasser la table, Maria lave les assiettes et dehors la fête monte, pour un soir la ville imite le Vésuve en lançant du feu et des flammes. Nous éteignons la lampe, derrière les vitres nous regardons les fenêtres, la rue.

Sur ma poitrine, le boumeran rebondit contre les coups de mon sang, Maria appuie son oreille entre mon épaule et mon cou, elle répète doucement : « Boum, boum, ton cœur court même si tu restes sans bouger, dans ta poitrine un gamin lance des pierres contre un mur. » Je ferme mon bon œil, les balcons, les fenêtres allumées en face prennent plus de distance et deviennent des lamparos sur la nuit, boum, boum, pour vivre il faut forcément des coups, pour voler aussi, pour se détacher de terre, pour faire monter un bout de bois en l'air, des coups durs. « Boum, boum, boum », Maria continue, sa voix concentre le sang dans mon ventre, la salive dans ma bouche, Maria, lui dis-je, à minuit je monte aux lavoirs, je lance le boumeran. « Je monte avec toi. » Rafaniello volera et tous les esprits viendront le saluer, nos esprits sont curieux, un cordonnier avec des ailes, ils veulent l'effleurer. Les esprits ne savent pas voler, ils peuvent faire seulement un peu de vent. On tire dans la rue, Maria n'entend pas les choses que dit ma voix sourde, elle pense à son sang : « Le vin m'a fait du bien, c'est la première fois que j'en bois, c'est bon. J'ai aimé le geste de ton père, quand il l'a versé. Il tenait la lourde fiasque d'une main ferme et le faisait couler doucement. »

Elle est belle Maria avec le sang qu'elle perd et le vin qui le remplace, avec ses cheveux noirs qui me chatouillent dans le cou, avec sa bouche qui pour faire boum, boum, s'ouvre et se referme avec le mouvement des baisers. Pour imiter le bruit du cœur, elle envoie des baisers à la nuit. Nous restons à la fenêtre, la frénésie des coups parvient jusqu'à nous, Montedidio essaie les mèches, fait monter la poudre des coups. Ils viennent même de loin, du bord de mer, Rafaniello est en train de chauffer ses ailes dans son débarras, Maria c'est l'heure de monter, nous nous écartons de la fenêtre, le boumeran s'écarte de la côte du cœur. Montons Maria, elle se met à mon bras, distraite, elle est songeuse. L'escalier résonne de vacarme, un souffle de courants d'air tourne autour de nous, ils nous font fête et nous chatouillent, enfoncent leurs souhaits froids dans nos oreilles. Ils se sont attachés, et moi aussi à eux. Peut-être que maman a eu le temps de venir elle aussi, même si au début les esprits restent près de leur corps et lui tiennent compagnie. Ce n'est qu'après qu'ils s'en séparent et reviennent dans les maisons. La porte du propriétaire de la maison n'est pas fermée, dedans il fait noir, Maria s'appuie un peu plus fort.

Au-dessus de la terrasse, une grand-place de lumières colorées s'est ouverte dans le ciel, on tire des terrasses et des balcons, on tire et il n'est pas encore minuit. Je fais un essai pour échauffer mes bras au lancer, ils sont déjà prêts, ils n'en ont pas besoin, le boumeran décharge ses secousses, il se frotte dans ma paume, sa force est la mienne, je veux en mettre au point de me décrocher le bras : lequel ? Droit ou gauche : gauche, du côté de mon bon œil qui restera fermé. Je regarde l'étalage des étoiles, je cherche celle que j'ai vue sur le volcan, je la reconnais, elle tremble plus que les autres. Je la montre à Maria de la pointe du boumeran, c'est l'Orient, je tire de ce côté-là. Maria va vers le parapet, appuie ses coudes dessus, pour voir loin, elle entend et n'entend pas, ce doit être le vin, la fatigue, le sang. Rafaniello arrive, ses ailes sont sous une couverture, dans sa veste, elles n'entraient plus. Don Rafaniè, comment allez-vous ? Il ne répond pas, m'embrasse avec une chaleur de plumes, me dit très doucement : « Blib ghezìnt, statte buono » garde-toi en bonne santé ; puis il retire ses souliers. Don

Rafaniè, vous voyez cette étoile, vous et le boumeran vous passez dessous, il vous trace le chemin entre les tirs, lui. Maria reste immobile, accoudée, elle ne se retourne pas. Voilà que minuit s'est dépêché d'arriver, Naples s'embrase, tire, casse, jette des objets dans la rue, on ne peut entendre aucune voix, c'est tout un déchaînement de force qui veut lancer en l'air, à terre, contre les murs. Je serre le manche de bois qui ne s'est pas usé dans ma main.

Il est brûlant dans ma main, il le fait exprès sinon au dernier moment je ne le lance pas, il me brûle les doigts pour que je le laisse partir, je souffle dessus, c'est pire, je contracte mes nerfs, ma bouche mord à vide, j'aspire à fond pour prendre mon élan, je charge le boumeran derrière mon dos, j'éteins mon bon œil, je vois en coin un ciel qui tremble de lumières comme la mer d'août tremble d'anchois, un souffle m'échappe sous le coup de la douleur du feu dans mes doigts, la queue en flammes le boumeran s'enfuit avec un coup sec d'os, une poussée que je n'ai jamais eue, le bois brûle, flotte, vole, fouette l'air, je n'ai rien dans la main. Derrière moi, les draps claquent, mais il n'y en a pas, je me retourne, c'est Rafaniello, les ailes ouvertes de toute leur envergure, ses pieds nus se soulèvent, retombent, une fois, deux, le vent battu par ses ailes se renforce, les esprits se mettent eux aussi à pousser par en dessous et, au troisième saut, Rafaniello s'élève et va vers la trace enflammée du boumeran, et c'est tout un vacarme de tirs, de sifflements, de valses de courants d'air en face qui s'efforcent de me faire fête et moi je lève les bras dans une dernière poussée d'adieu.

Je touche la main du lancer, aucune brûlure, elle est fraîche, à terre la couverture de Rafaniello, deux plumes et une paire de souliers au milieu des coups de feu, des fusées dans le ciel, des coups sur les murs, Montedidio résonne, je rouvre mon bon œil, Maria crie à cause d'une ombre qui est sur elle, moi je cours vers le parapet, je saisis l'ombre aux épaules, mes bras brûlent de force, je la détache de Maria et de terre, je la jette, je la jette loin si durement qu'elle vole, elle vole en bas, elle vole de la terrasse de Montedidio sous le déluge de vases et de vieilles assiettes jetés des balcons, tout vole du haut de Montedidio, nous deux non, nous deux enlacés sous la couverture de Rafaniello, Maria tremble, moi je crache un caillot tout chaud d'air, c'est une voix, c'est ma voix, un braiment d'âne qui me déchire les poumons, moi je crie et pour ce cri il n'y a pas de place sur le rouleau ni sur Montedidio.

*Achevé d'imprimer*
*sur Roto-Page*
*par l'Imprimerie Floch*
*à Mayenne, le 26 mars 2002.*
*Dépôt légal : mars 2002.*
*1er dépôt légal : janvier 2002.*
*Numéro d'imprimeur : 54009.*
ISBN 2-07-076268-8 / Imprimé en France.

12391